私は生きることを愛する。すべての美しいもの，すばらしいもの，ダイナミックなもの，エネルギッシュなものを愛する。

卒業試験のあと，モスクワ音楽院正面のチャイコフスキー銅像前で，
左からチェリスト・ガブリッシュ，恩師ハチャトゥリヤン，筆者。
毎日新聞モスクワ支局　佐野真氏撮影

右　自宅でくつろぐハチャトゥリヤンのニーナ・マカーロワ夫人
上　オーケストラを指揮するハチャトゥリヤン

上　遺言どおり浅い柩に安置された遺体に花が飾られた。枕元では民族音楽家たちがハチャトゥリヤンの音楽を演奏した。

左　柩の右側を通りながら別れを惜しむ市民の列は午前十一時から始まり、午後になっても途切れず、入りきれない市民は広場にあふれた。

復刻版

剣の舞
ハチャトゥリヤン

師の追憶と足跡

寺原伸夫著

ハンナ

目　次

第二章　モスクワ音楽院にて

第四章　ハチャトゥリヤンの晩年と死

第五章　ハチャトゥリヤンの音楽

目　次

カバー写真／ノーボスチ通信社提供
本文写真／ノーボスチ通信社・寺原伸夫　他提供

・ロシアでは、革命以前と革命以後で異なる暦が用いられています。本書では、ユリウス暦ではなく現在使用されている太陽暦を用いています。

・本書は1983年９月１日に東京音楽社から刊行された同名書の復刻版です。
（株式会社ハンナ　編集部）

はじめに

――ハチャトゥリヤンとの僥幸な出会い――

出会いが人生を変えてしまうことがある。私にとって『剣の舞』で親しまれた作曲家アラム・ハチャトゥリヤンとの出会いは、そのようなものだった。それは夢のような僥幸な一日であった。その日から私の人生は大きく変わった。

私はそのころ、中学校の音楽教師のかたわら作曲にも精を出していた。ちょうどその日も作曲上の話し合いで、詩人の門倉訣《さとし》さんといっしょに、レーニン平和賞受賞者関鑑子さんのところへでかけた。

「もうすぐここに作曲家のハチャトゥリヤンがお見えになるのよ。よかったら話し合いの前に、レセプションに顔を出しませんか?」

と関鑑子さん。

中学の音楽教師として『剣の舞』を生徒たちに聴かせながら、私自身もその音楽の新鮮さに驚いたものだが、普通レコード鑑賞に無関心な男子生徒たちが、このときばかりは目を輝かせながら聴いていたことを思い出した。そのような鮮明な音楽を書いた大作曲家を、私も作曲家のはしくれとして一目見たいという好奇心にかられた。

レセプション会場には百人あまりの若者たちが集まっていた。いよいよハチャトゥリヤンが夫人とともに現われた。音楽教室によくかかげられている古今の大作曲家の肖像画の、たとえばヘンデルかだれかが忽然と目の前に現われたかのように私には思えた。なるほどやはり大作曲家は凡人ばなれしているな！　といった感じだったのである。何から何まで作りが大きい。巨大な体軀、太いまゆ、今にもこぼれ落ちそうな大きな目、高い鼻、ぶ厚いくちびるといったぐあいである。

関鑑子さん

歓迎のための演奏が始まった。まずいくつかの日本民謡と踊り、ロシア・ソビエト民謡に続いて、ハチャトゥリヤンの歌曲の演奏もあった。ハチャトゥリヤン夫人も作曲家だという紹介があり、夫人は自作のオペラの抜すいを見事なピアノ演奏で披露した。
そして最後に、なんと私の作品、合唱組曲《日本の夜明け》（作詩　門倉訣）が始まったではないか。まった

ハチャトゥリヤンとの最初の出会い

く予期していなかっただけに、急に私の心臓は高鳴りはじめた。演奏が終わると、ハチャトゥリヤンとふたことみこと話していたチェリストで、当日は指揮をしていた井上頼豊さんが、会場の片すみにいた私に向かって手招きをする。

　私は何ごとだろうと、ますます胸を高鳴らせながら前に進み出た。ハチャトゥリヤンは、大きな目をいっそうみひらいて私を見つめながら尋ねた。

——作曲はどこで学んだかね。いまどんな職業ですか。

声楽家の小野光子さんが訳してくださる質問に夢中で答えながらも、私は光栄だった。

司会者がハチャトゥリヤンを壇上に招きあげる。ハチャトゥリヤンは、レセプションのお礼を言い、民族と音楽について語り、そして最後にこう言った。

――今、最後に聴いた曲はたいへん気にいった。作曲者は才能があると思うので、本人が希望するならモスクワ音楽院の私のクラスで勉強したらいい。

会場いっぱいに、「ウワーッ!」という嘆声があがった。私はというと、体が浮きあがった感じで、ただもう幸福感の絶頂にあった。


子どものころ、教師だった父の転勤に伴い宮崎の山奥の小学校を転々とした私にとって、音楽を学ぶような環境など考えようもなかった。ただ、父は音楽好きで、当時としては珍しくクラシック音楽のレコードアルバムがいくつかあった。バッハやモーツァルトにまじって、プロコフィエフのバレエ音楽《三つのオレンジへの恋》のなかの『行進曲』があったのを覚えている。それが村祭りの笛や太鼓の音とまじりあって、私の音楽への芽を育ててくれたに違いない。

小学校四年のころ、父が山奥の小さな小学校の校長をしていて、校長住宅が校庭にあったことも手伝ってか、人影がいなくなった校舎にしのびこんでオルガンを探り弾きしたことがある。結局、音楽の先生に見つかって罰せられ、私は音楽嫌いになるという結末をたどったのだが…。

そのうえ、旧制中学に入学した昭和十五年は、太平洋戦争が始まる前年であった。その後軍事教練、農村や軍需工場への動員と、おちおち授業もできない日が多くなった。まして男が音楽を勉強するなど、言語道断だというのがその当時の通念であった。

このような時代に成長期を過ごした私が音楽に目ざめたのは、敗戦後郷里の宮崎高等農林学校の林学科に転入したある日のこと、講堂から流れてきたピアノの音を聞いたのがきっかけだった。殺伐とした長い戦争でひからびていた心が、清らかな水で洗い流される思いであった。小学校の教室にしのびこんでオルガンを弾いたときの思い出がよみがえってきた。私は夢中でピアノを弾き始めた。十九歳からの遅い手習いであった。一台しかないピアノの前には連日、学生たちの行列が続いた。一人十分間の時間制限…。運よくだれも現われない夜が一度あって、朝まで弾き続けたこともある。

昭和二十三年三月、卒業と同時に音楽学校にあこがれて上京してみたが、東京はまだ焼け跡と浮浪者の町だった。いったんは郷里に帰り中学の教壇に立ったもののあきらめきれず、今度は作曲を志して二十九年に上京。作曲家間宮芳生氏、清瀬保二氏らに師事した。二十六歳のとき、生まれて初めて作曲した日中友好の歌《東京・北京》は、日本ではもちろんのこと、中国語に翻訳されて中国でも歌われた。翌三十年に作曲した《手のひらのうた》は、戦後のすさんだ生活に苦しんでいた人々の共感をよんで歌いひろめられ、坂本九が歌い、映画「キューポラのある街」の主題歌にもなった。

それから十年。平和な日本を願う人々の心を歌いあげた合唱組曲《日本の夜明け》が、巨匠ハチャトゥリヤンの目にとまったのである。長い間夢に見てきた作曲の本格的な勉強の機会を目前に、私は胸をおどらせていた。自分が三十歳を過ぎていることや、果たしてハチャトゥリヤンの期待にこたえることができるだろうかといった一抹の不安など、より大きな喜びのまえに消しとんだ。

東京と私の郷里宮崎に後援会がつくられ、大勢の先輩や友人たちの物心両面の支援で、一年後私は横浜から船で旅立った。

左からプロコフィエフ，ショスタコーヴィチ，ハチャトゥリヤン

こうして私は一九六四年から七年間、モスクワ音楽院でハチャトゥリヤンに作曲を師事しながら、魅力ある彼の人がらと音楽に接することができた。

ハチャトゥリヤンという名前は覚えていなくても、『剣の舞』という曲を覚えている方は多いと思う。長い間文部省の共通鑑賞曲に選ばれていたので、学校の音楽の授業で聴いた人が多いし、一度聴いたら、激しいリズムと民族色の濃いユニークなあの曲を忘れる人はいない。

ところが残念ながら、これまでハチャトゥリヤンについて紹介した単行本は日本では一冊も出ていない。ハチャトゥリヤンはプロコフィエフ、ショスタコーヴィチとともに、ロシア革命後の多難な時代を乗りこえて、ソビエト音楽の存在を世界に示した、ソビエト作曲界を代表する巨匠のひとりであるのに。

だがハチャトゥリヤンは、二人とは異なった生い立ちと創造上の経歴をたどっている。プロコフィエフは九歳でバレエを、ショスタコーヴィチは十九歳で交響曲を書いているが、ハチャトゥリヤンは十九歳まで楽譜さえ読めなかったのである。貧しい製本業者の息子として育ったハチャトゥリヤンは、革命の二年後に大学の門戸が労働者や農民の子弟に開放されたとき、初めてモスクワへ旅立った。そしてヨーロッパ、ロシアのいわゆるクラシック音楽との出会いと驚きから、十九歳でグネーシン中等音楽専門学校に入学する。

この意味からもハチャトゥリヤンは、ソビエトの革命が、そしてソビエトの新しい音楽教育制度が育てた才能だといえる。また、プロコフィエフとショスタコーヴィチはともにロシア人であるが、ハチャトゥリヤンはグルジア生まれのアルメニア人である。革命前にはロシア帝国の植民地だった南コーカサス地方の民族文化を背負って、彼がロシア・ソビエト音楽史上に登場してきた意義は大きい。

ハチャトゥリヤンは、これまで光のあたらなかったアルメニアを中心とする南コーカサスの民族音楽を源泉として、世界の人々に愛される音楽を作曲し、一九七八年五月一日、惜しまれながら世を去った。彼は死の直前まで生きることをなによりも愛しながら、充実した人生をエネルギッシュに生きぬいた。そして永遠に消えることのない音楽を残してくれたのである。

生誕八十年にあたる記念すべき年に、この本を通してハチャトゥリヤンの人となりと音楽をお伝えし、心から師の冥福を祈りたい。

第一章　ハチャトゥリヤンの生いたち

ピアノ協奏曲の自筆

プロローグ

ひとりの人間の生いたちを知らずに、その人となりを知ることはできない。この本では師との人間的なふれあいを中心に語りたいと思うが、その前にハチャトゥリヤンの生い立ちと、作曲家として世に出るまでの歩みを紹介したい。

南コーカサス地方（外コーカサス）は、北に五千メートル級の高いコーカサス山脈をいただき、東にカスピ海、西は黒海にはさまれ、南はアラス川でイランとトルコに接した山また山の地方である。もっともその山並みも、アゼルバイジャンで次第に平地となり、カスピ海へと落ちこんでいくが。

この地域が三つの共和国に分かれている。黒海に面するグルジア、カスピ海に面するアゼルバイジャン、そしてアルメニアはその二つの共和国のはざまに位置し、イランとトルコに囲まれた山の国で、首都エレヴァンは海抜千六百メートルの高みにある。

三つの共和国は小さな国でありながら、はっきりした民族性の違いを見せている。文字も違うし宗教も異なる。例えばアルメニアとグルジアはギリシャ正教であるが、アゼルバイジャンはイスラム教である。同じギリシャ正教でも、アルメニア教会とグルジア教会はそれぞれ独自な宗派を形づくっていて、教会の建物の姿かたちさえ違う。音楽の伝統も異なる。音楽の違いを、ロマン・ロランは実に巧みに特徴づけている。(33ページ参照) たとえばアルメニアの音楽は単旋律であるが、グルジアは複旋律、ポリフォニーの音楽文化圏なのである。アゼルバイジャンはイスラム教国である以上、音楽もまた異なるのは当然である。

それならば、まったく異質で無縁であるかというとそうではない。

私は二度この地方を訪れたことがある。一度目は、恩師ハチャトゥリヤンの葬儀のときだった。アルメニアの首都エレヴァンでの感銘深い葬儀のあとグルジアに向かい、彼の育った街トビリシ(当時のチフリス)を見た。二度目は、アルメニアの首都エレヴァンから百キロほど離れたセバン湖の近くにある「創造の家」《ジリジャン》で作曲をしていたとき、グルジアの文化大臣で作曲家のタクタキシヴィリの招待で、アルメニア作曲家同盟議長ミルゾイヤンとともに車でトビリシまで出かけた。おもしろいことに、アルメニアはグルジアとアゼルバイジャンの真ん中にあると思っていたのに、グルジアまでの車の旅でアゼルバイジャンを通ったのである。あとで地図を見ると、わずかにアゼルバ

南コーカサス地方

アルメニアの霊峰アララト

イジャンをかすめるくらいのことだったのだが、それでも、アゼルバイジャンはアルメニアに比べて、肥よくで平たんな土地の国であることがよくわかった。そのあとグルジアに入るとまた山を登っていく。しかし今度はなだらかな高原地帯といった感じで、アルメニアのようなゴツゴツとした岩山は少なかった。

そして、ハチャトゥリヤンが生まれ育ったトビリシの街で、その異なった文化の混在している姿を目のあたりにしたのである。

グルジアの中心地——当時のチフリスは古くからの温泉地で、近隣諸国の民族が集まってきていた。現在のグルジアは、ソビエト政権になって新しい街づくりが進んでいるにもかかわらず、歴然と諸民族文化のこん跡を残している。グルジアの教会があるかと思えば、アルメニアの教会が現われるといったぐあいである。その結果ハチャトゥリヤンが述懐しているように、チフリスではグルジアの民謡はもちろん、アルメニア、アゼルバイジャンの民族音楽、そしてトルコ、ペルシア、インドからロシアまでの各地の音楽がいたるところで聞かれ、歌う町の観を呈していたわけである。

いまひとつ触れておきたいのは、これらの土地が古い歴史をもっていることである。アルメニアの聖なる山アララトは、聖書のノアの箱舟がたどりついた山であると伝えられているし、グルジアのエルブルス山（五千六百三十三メートル）は、神の火を盗んだプロメテウスが岩に縛りつけられたというギリシャ神話の舞台である。

ことにアルメニアは、紀元前九世紀にさかのぼる古い歴史をもち、三世紀ごろからアルメニア教会も栄えている。しかしたび重なる異民族の侵略を受け、十九世紀からロシア帝国の植民地となっていたが、二度のトルコによる大虐殺で人口は半減し、約百万のアルメニア人が世界に分散した。グルジアもまた、十四、五世紀からトルコとペルシアの支配下にあったが、一八〇一年ロシアに併合された。一九二一年にソビエト政権が打ち立てられるまで、植民地としての抑圧の歴史を歩む。

このような古い歴史をもった南コーカサスを背景に、巨匠アラム・ハチャトゥリヤンの人生は始まるのである。

貧しい製本業の第四子として生まれる

アラム・イリイッチ・ハチャトゥリヤンは、一九〇三年六月六日、グルジアのチフリス市からさらに山を登ったコジョール村に生まれた。ハチャトゥリヤンが物心つくころにはチフリス市に移って、その後幼年時代と青年時代のほとんどをグルジアの中心地で過ごした。

チフリス市は、当時南コーカサスの商業・文化の中心地として栄えていた。現在のグルジア共和国の首都トビリシである。グルジアはそのころまだ帝政ロシアの支配下にあったが、一九〇五年一月、ペテルブルク(現在のレニングラード)の「血の日曜日」事件に端を発した第一次ロシア革命とよばれる革命運動は、このチフリスにも波及していた。ハチャトゥリヤンの生涯における最初の思い出が、こうした世界史的できごとと結ばれているのは興味深い。

——私は時おり過去の深奥をかいま見て、まだ赤ん坊だったころの自分を思い出し、自分の人生の出発点をさぐりたいという強い思いにかられることがある。それは私の記憶のなかで、近しい人々の騒然とした体験と結びついた不安な表情となって残っている。何か理由はわからないが周囲には騒がしく女の泣き声がして、私は中庭から部屋に連れていかれる。門は閉じられ、カーテンが下ろされ、通りからは叫び声が聞こえる…。

のちになって私は知った——その不安と恐怖は我が家の周辺だけで起こったことではなく、私たちの住んでいた街だけでもなく、ロシア全体に起きたできごとによるものであったことが。それは一九〇五年の革命であった。当時私は、物心つくかつかない二歳半であった。

ハチャトゥリヤンは晩年、このような調子でかなり詳しく自分の人生を回想した文章を連載す

ハチャトゥリヤンの家族，中央がアラム，両側が両親

る予定であったが、幼年から青年時代までの記述しか残さなかった。ハチャトゥリヤンはこのように幼児期の体験を語っているが、ある意味でこの事件は、幼年時代・青年時代の思い出とは切り離された特別な体験である。

アラムの父エギーヤ・ハチャトゥリヤンは、アルメニアの農夫の出だった。進取の気性に富んだエギーヤは、十三歳のころイランに近い山村からグルジアの町チフリスにやってきて、またたくまに製本技術を身につけた。そして十七歳のとき、すでに十歳のころから秘かに将来を誓いあっていたクマーシュ（十六歳）を呼びよせて結婚したのである。五人めの子どもが生まれたころには、父エギーヤはまれにみる熱心な仕事ぶりと才能で仕事場を買いとり、独立した製本業者となって、手固く顧客をひきつけていた。

均整のとれた大変美しい女性だった母クマーシュは、夫への深い愛と配慮をもち続け、子どもらをいつくしみ育てた。

夭折した二人を除き、三人の兄弟はみな芸術の道に進んだ。長兄のスーレンはモスクワ芸術劇場とモスクワ・アカデミー芸術劇場の演出家として、三男のレヴォンはモスクワ・ラジオのすぐれたバリトン歌手として活躍し、晩年にはモスクワ・ラジオの要職にもあった。

そして、十八歳まで楽譜ひとつ知らなかった四男アラムは、二十世紀の世界的な作曲家となったのである。

民族音楽に囲まれて育つ

古くからの温泉・保養地、そして歌う町チフリスには、各地の民族音楽家たちやアシューグ、サザンドールと呼ばれた吟遊詩人たちも集まってきており、まさに民族音楽の宝庫となっていた。アルメニア人でありながらチフリスで育ったハチャトゥリヤンは、そうした音楽との出会いを次のように語っている。

――幼いころ、母は大変豊かな声でアルメニアやアゼルバイジャンの民謡を歌ってくれた。そのひとつ、悲しい狩人のうたは長い年月私の心にあたためられていて、第二交響曲の第二楽章のテーマとなった。音楽は町でも私を囲んでいた。グルジアの合唱、アゼルバイジャンの弦楽器のつまびきが聞こえてきたり、放浪の民族詩人・歌手のうたを何時間でも聴くことができた。幼いころ私を包んでいた周囲の人々の音楽への情熱、音の形、イントネーションやリズムなどは、〝母乳〟のように無意識のうちに私の作品にもしみこんでいる。

七歳のころ、私は民族音楽のリズムの〝魔力〟に本能的に引きつけられ、子どもなりに感嘆した。屋根裏部屋にこっそり忍びこみ、いろんな物をたたいては、町で聞いて強い感動を受けた民族的なリズムを、さまざまに変化させたり組み合わせたりして努力してみたことを思い出す。こんなぐあいに、私の最初の〝音楽活動〟は、私にとってはことばに表わせぬほどの楽しみであった。

別の住宅に引っ越したとき、ハチャトゥリヤンの両親は、幸いなことに無償で前の居住者から古いピアノをゆずり受けることができた。大喜びしたハチャトゥリヤンは、耳で覚えた民謡や舞曲をさぐり弾きし、たいした苦労もせず弾きこなせるようになった。

――それも初めから終わりまで、人さし指と中指の二本で弾いたものだ。伴奏をつけるのは難しかったが、それにもだんだん慣れた。今から考えると、この無邪気でみすぼらしい、しかし私にとって初めての作曲の試みは、当時の私にはこのうえもない喜びだったことを思い出す。

と、実際に二本指でアルメニアの民謡を弾きながら、私に話してくれたことがある。

彼は十歳でチフリスの商業学校に入学し、そこのブラスバンドに入って、テノールやバリトンのラッパを聴き覚えで吹いていた。もちろん、専門的な吹奏楽とはほど遠いものであったが。

こうして十八歳でチフリスを去るまで、ハチャトゥリヤンには音楽の専門教育を受ける機会はなかった。そのかわりに、自分を取り囲んでいた民族音楽を完全に血肉として吸収し、モスクワへと旅立つのである。

十九歳から音楽を学ぶ

グルジアにソビエト政権が確立されたあと、一九二一年の秋に長兄のスーレンがトビリシに帰ってきた。首都モスクワに開設されるアルメニア共和国演劇研究所に青年たちを募集するためである。アラムは、モスクワで勉強したら、という兄の提案にすぐさま賛成して、すでに最終学年であったにもかかわらず商業学校を中退した。そして、兄と劇団員募集に応じた青年たちとともにモスクワへ向かった。トビリシからモスクワまでその当時二十四日かかった。一行は道々コンサートを開き、アラムはピアノ伴奏を受けもったり、踊ったりして長い道のりの食費をかせいだ。

モスクワに着くとアラムはスーレンの家に住みこんだ。十四歳年長のスーレンは、前述のとおり劇場の演出家として活躍した人で、そのころすでにモスクワにおけるアルメニア文化人の中心メンバーであった。そんなわけで、兄の家でハチャトゥリヤンはたくさんのすぐれた俳優・音楽家・作曲家や画家と知りあっている。またルナチャルスキーやマヤコフスキー、メイエルホリドなどが登壇する演劇やコンサートホール、討論会場にも出かけた。

兄の勧めにしたがって、ハチャトゥリヤンはモスクワ総合大学予備科の聴講生となり、後に物理数学学部の生物学科に入学した。

ところが、ここでハチャトゥリヤンの生涯を決定づける感動的な体験があったのである。

——兄と二人でたまたまモスクワ音楽院の前を通りかかり、コンサートがあるというので入ってみた。美しいホールには大音楽家の肖像が壁にかけられていた。オーケストラはベートーベンの第九交響曲とラフマニノフのピアノ協奏曲を演奏した。私は世の中にこんなにすばらしい音楽があるとは知らなかった。コンサートが終わったとき、私は音楽家になることを決意した。

一九二二年、それまで楽譜も読めずチェロも弾けなかった十九歳の青年が、グネーシン中等音楽専門学校を受験した。

——初歩的な音楽理論の準備もせず、私は試験官の前に立った。声楽と聴音試験で、革命時につくられた激しい調子のロマンス《シャンペングラスを打ち砕け》を大声で歌うと、試験官たちもついつい笑みをもらしていたのを覚えている。聴音やリズム感・音楽的記憶力の試験は私にとって初めての体験だったが、わりとたやすくやることができた。ピアノは得意ないくつかの舞曲を元気よく弾いた。

ハチャトゥリヤンは新設のチェロ科に入学した。民族楽器は巧みに弾けたし、百曲近い民謡の旋律を口ずさむことができたからだ。

グネーシン中等音楽専門学校は、貧しい子弟の音楽教育に熱烈な情熱を傾けたエレーナ、エフゲニー、マリーヤのグネーシン姉弟が一八九五年モスクワに開設した音楽小学校から発展した音楽学校で、ロシアの音楽教育の歴史に大きな役割を果たしていた。革命後かなりたってから、グネーシン記念音楽教育

グネーシン中等音楽専門学校時代，チェロを弾くハチャトゥリヤン

大学となり、今日に至っている。ハチャトゥリヤンが入学した当時は、グネーシンの他の姉弟オリガ、エリザベート、ミハイル・グネーシンによって運営されていた。

モスクワ総合大学に二年半在籍したハチャトゥリヤンは、音楽に自分の生涯を全面的にささげるため、大学をやめた。

一九二五年、作曲家で学長のミハイル・グネーシンは、演奏科の学生たちも自由に参加できる作曲の実験教室を開いた。

――グネーシンは、ある主題に八〜十二小節程度の対旋律を作曲する課題を出した。私は四十二小節作って提出した。彼は私の作品が気にいったらしく、まっ先に私に作曲を専攻するように勧めてくれた。まさにミハイル・グネーシンこそ、私の作曲家としての素質を聴きとり支持してくれた最初の教師である。

グネーシン教授と教え子たち
(後列左がハチャトゥリヤン)

――教養が高く真に賢くて明敏な人ミハイ

ル・ファビアノーヴィチ・グネーシンは、私の創造の発展に多くのものを与えてくれた。私は自分の創造において、民族的なものをもち続け発展させることができたことについて彼に感謝している。私はそのころスクリャービンに熱中していたが、グネーシンは、模倣ではなく自分の基本的な芸術において、民族的なものに根づいたものだけが全人民のものになることを私に確信させてくれた。

ハチャトゥリヤンは、チェロ科からグネーシンの作曲クラスに転入した。グネーシンはハチャトゥリヤンを〝みがかれざる宝石〟と評価していた。

彼はすでに最初の作品を書き始めており、その中で、一九二六〜二七年に作曲した《ヴァイオリンのための舞曲》（変ロ長調）と《ピアノのための詩曲》（嬰ハ短調）は、まもなく出版された。《ヴァイオリンのための舞曲》は、先ごろ亡くなった世界的ヴァイオリニスト、レオニード・コーガンが好んでしばしば演奏していた曲である。

モスクワ音楽院に入学

一九二九年、二十六歳でハチャトゥリヤンはモスクワ音楽院に入学した。ここでは、すぐれた作曲家、洗練された音楽家であり、心やさしい傑出した教育者ニコライ・ミヤスコフスキーに、幸運にも師事することができた。ミヤスコフスキーは自分のたくさんの教え子（その中にはD・

カバレフスキー、V・シェバリンらがいた）たちに、創造にたいする真剣な態度――自分の将来の聴衆にたいする作曲家としての高邁な責任感を身につけさせた。

――ニコライ・ヤーコヴレヴィチ・ミヤスコフスキーの最初のレッスンから、新しいなにか尋常でない雰囲気が私をとらえてしまった。とおりいっぺんな平凡な授業は一度もなかった。ミヤスコフスキーのところにやってくると、まるで別の部屋に入ったかのように、それまで単に盲目的に愛していた音楽芸術のさまざまな複雑さや心を魅了するような美しさの秘密が、解き明かされるのであった。ニコライ・ヤーコヴレヴィチは私たちに、作曲家の労働の結晶としての音楽と文化を教えてくれたし、同時にそれらを古典や現代芸術におけるたくさんの実例と結びつけて明らかにしてくれた。

モスクワ音楽院時代，ミヤスコフスキー教授と

一九三二年、亡命中のプロコフィエフが演奏旅行をかねて、一時的にソビエトに帰ってくる。その出会いをハチャ

トゥリヤンは次のように語っている。

——私たちは燃えるような好奇心と強い興奮をおぼえながら、この著名な作曲家をながめたのをいまでも忘れることはできない。そのプロコフィエフに、私はかきあげたばかりの《クラリネットとヴァイオリンとピアノのためのトリオ》を見せた。彼はその作品に好意をよせてくれた。その後、私はさらに何回か彼の助言を求めにいったが、プロコフィエフの注意は、いつも私にとって新しい未開の境地を開いてくれた。

プロコフィエフはこのときハチャトゥリヤンのトリオの楽譜をたずさえて帰り、ソビエトにさきがけてパリで出版している。プロコフィエフが正式に祖国に帰ったのは一九三三年で、その年からモスクワ音楽院の教授として学生の指導にも当たっている。また同じ年、ハチャトゥリヤンは、ミヤスコフスキーの作曲クラスの女子学生ニーナ・マカーロワと結婚した。

モスクワ音楽院の学生時代に書かれた《交響的オーケストラのための舞踊組曲》、ピアノ曲《トッカータ》もたびたびコンサートのレパートリーとなっている。

ハチャトゥリヤンはモスクワ音楽院卒業の年、学生時代の総決算として交響曲第一番を作曲した。彼はそれをアルメニア・ソビエト政権樹立十五周年にささげて、次のように語っている。

——第一交響曲は私にとって祖国の姿と永遠《とわ》に結びついている。この交響曲は、アルメニア人民の過ぎ去った歴史上の、民族独立を求める激しい闘いを物語る。この交響曲はまた、人民の今日における建設的な労働に対するあふれるような喜びについて物語る。

昨年亡くなったソビエトの代表的な音楽評論家で、日本の文化交流基金の招待で来日したこともあるシュネールソンは、次のようにこの交響曲を評している。

「ハチャトゥリヤンの交響曲の中には、作曲家としての彼の才能のすぐれた特性がはっきりと現われていて、すでに芸術家としての成熟のしるしがうかがえる。彼はアルメニアの民族的な源泉に根をおろした最初の交響曲を創造するという、独自性と勇気をもった革新的な課題を解決した。ハチャトゥリヤンはアルメニアと全ソビエト音楽文化の交流に貢献したばかりでなく、世界の音楽芸術の発展にも著しく寄与したのである」

ハチャトゥリヤンの最初の交響曲はすばらしい運命をたどる。一九三五年の初め、オーストリアの著名な指揮者クリーツ・シュティドゥッツィの指揮のもとにレニングラードで初演され、そのあとモ

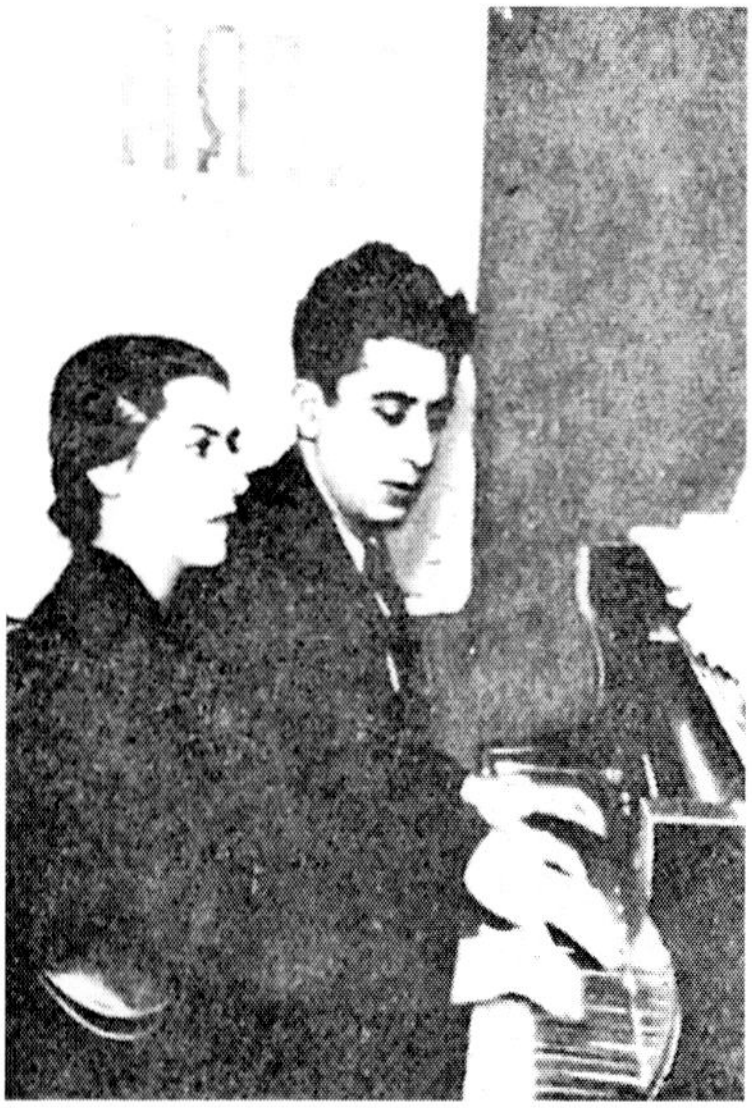
ニーナ・マカーロワと結婚

スクワでハンガリーの指揮者エフゲニー・センカールによって演奏された。交響曲は聴衆の歓喜にみちた反響を呼び起こし、それ以来ずっとソビエト国内や外国のコンサートで演奏され続けている。

その初演の前年一九三四年、ハチャトゥリヤンはモスクワ音楽院を優等で卒業した。彼の名前はタネーエフ、ラフマニノフ、スクリャービン、メットネル、グリエール、その他数多くの偉大な作曲家・音楽家と並んで、名誉の大理石板に金文字で刻まれている。

作曲家は民謡を勉強しなさい！
——ゴーリキー、ロマン・ロランとの出会い——

モスクワ音楽院卒業後も、ハチャトゥリヤンはミヤスコフスキー教授の指導のもとに、大学院生として二年間の研さんを続ける。この間に、ピアノ協奏曲と映画音楽《ペポ》、《ザンゲズル》を書きあげた。二つの映画はともに南コーカサス地方が舞台である。民族楽器を用いたハチャトゥリヤンの音楽は南コーカサス地方で特に愛唱され、映画の主題歌は今でも、自分たちの民謡として生きている。

一九三五年の夏、作家マクシム・ゴーリキーの招きで、ロマン・ロランがソビエトを訪れた。ある日のこと、ゴーリキーはモスクワ郊外の別荘に大勢の作家・画家・音楽家・俳優を呼んで、ロランに紹介した。音楽家では、ピアニストのネイガウス、ピアニスト・作曲家のゴリデンヴェイゼル、作曲家のシャポーリン、カバレフスキー、ショスタコーヴィチらとともに、大学院生だったハチャトゥリヤンも招かれた。

ロランは、早くから東方の音楽にひかれていて、一九〇六年にはパリでロシア、ペルシア、アルメニア、グルジアの民族音楽の夕べを組織したりしていた。

ロランは書いている。

「音楽には民族的な差異が鮮明に現われる。アルメニアの民族音楽は奥深くて悲劇性をおび、幻想的なものですら剛毅である。グルジアの音楽は太陽のように鮮やかで、ほとんどイタリア人の性格を思わせる。ロシアの音楽はダイナミックで変わりやすく柔軟である。何と音楽は絶妙なものであることか！　これらの民族は音楽において、我々とはなにかそれぞれに異なった才能を与えられている。私はヨーロッパ芸術が、ずっと以前かあるいはさほど古くない時期に、必ずこれらの芸術からの影響を体験しているに違いないと確信している」

ハチャトゥリヤンは、この日のゴーリキーとロランとの出会いを鮮やかに記憶にとどめている。――愛想のよいゴーリキーは、お客たち全員を歓待しながら、何を書いているか、どんな仕事にとりくんでいるかと尋ねた。話しながらも、指で巻いた太めのたばこを木製のパイプに差しこむ手を休めなかった。

ロマン・ロランが食堂に姿を現わしたのは、少し遅くなってからだった。彼は健康をそこねているように見えた。背が高く猫背でやせていて、ボタンをかけた服の上からぶ厚いショールにくるまり、その中にやや青味をおびたすき透るような手をかくしていた。私たちのひとりひとりをよく観察しながら、注意深く話を聞いていた。私はなぜか彼が、音楽家の中からドミトリー・ショスタコーヴィチを捜しているような気がした。

私はアルメニア人だからという理由だけで招待されたような気がしていたのだが、私がまだ若い大学院生だと紹介されると、ロランは私に尋ねた。

『あなたはアルメニア人ですか』

『ええ、アルメニア人です』

『私はずっと以前から、アルメニアの音楽に興味をもっています。あなたはアルメニア民謡の楽譜をもっていますか』

『残念ですが、今ここに持ち合わせていません』

『あなたは、アルメニア民族音楽の選集を私に送ってくれますか』

ロランは民族ということばにアクセントをつけながら尋ねた。

私はアルメニアに帰国し、さっそくコミタスが編曲した民謡集をロランに送った。まもなく返事を受けとった。そこにはすばらしい民謡集を送ってもらったことへの感謝のことばと、アルメニアの音楽文化にいっそう興味を抱いたことが書きそえてあった。

ゴーリキーは、私とロランが会話をかわしているあいだそばに立っていたのだが、突然つぶやくように言った。

『作曲家は民謡を勉強しなさい！　民謡を真剣に勉強する必要がある。民謡は音楽のいちばんの源なのだ！』

そのとき以来私の耳には〝作曲家は民謡を勉強しなさい〟という、つぶやくようなゴーリキーの声が刻みこまれているのだ。

民族色豊かなピアノ協奏曲

ゴーリキーとロマン・ロランに会った同じ年にハチャトゥリヤンは書いている。

——今、私の思いはピアノ協奏曲のことでいっぱいだ。この曲が見事にしあがることを願っている。本物の作曲家のひとつひとつの作品は、問題を投げかけるようなできごとでなければならない。私の協奏曲は最初の民族的な協奏曲となるだろう。

ハチャトゥリヤンは約一年半を費して、ピアノ協奏曲を書きあげた。

このピアノ協奏曲に私は忘れられない思い出がある。一九七六年のこと、ハチャトゥリヤンはじん臓の手術で楽しみにしていた来日が不可能になり、モスクワの別荘で静養していた。モスク

ピアニスト，オボーリンと

ワへ見舞いに飛んだ私は貴重な話をきくことができた。その中にピアノ協奏曲について次のような述懐がある。

――私が協奏曲を書いていることを作曲家のセルゲイ・プロコフィエフがきいて、非常に驚いてこう言った。

『よく注意しなさい。ピアニストに何をさせるかということに』

結果として、

――このピアノ協奏曲は、プロコフィエフを驚かし、このようにピアニスティックに響く曲はどのようにして書けたかということにたいへん興味をもったし、好意をもって迎えてくれた。

〔筆者註〕

このことについては、第六章の「ハチャトゥリヤンとの対話」にくわしい述懐がある。

一九三七年十一月下旬、ソビエト十月革命二十周年記念「第一回ソビエト音楽祭」がモスクワで開かれた。プロコフィエフの新作ヴァイオリン協奏曲第二番、《ロミオとジュリエット》第二組曲、ショスタコーヴィチの第五交響曲とならんで、ハチャトゥリヤンの書きあげたばかりのピアノ協奏曲が初演され、聴衆の熱狂的な喝采をあびた。こうして、ソビエト作曲界を代表する三巨匠が顔をそろえたのである。

この協奏曲の初演者である今は亡きピアノの巨匠レフ・オボーリンは、後に次のように述べている。

「私にはこの作品を自分のレパートリーに加えていないピアノの巨匠の名をあげるのは、難しいとさえ思われる。L・P・シュテインベルクの指揮で一九三七年七月にモスクワでこの曲を初演して以来、現在までずいぶん長い年月、なぜ私はこの音楽にひかれ続けているのだろうか。ハチャトゥリヤンの創造の特性はなんだろうか。それは、ほとばしるような情熱、独自性、独奏楽器とオーケストラとの鮮やかな巨匠的技巧である」

アメリカの作曲家サミュエル・バーバーはこう書いている。

「アラム・ハチャトゥリヤンのピアノ協奏曲がアメリカで初演されたときの、驚嘆にも値する成功について思い出すのはたいへん快い。今でも私は初演の強烈な印象、〝ハチャトゥリヤン風な〟色彩とリズムを生き生きと思い浮かべることができる」

作曲家同盟での激務の中で

ハチャトゥリヤンが大学院を終えた一九三七年、モスクワ作曲家同盟の役員改選が行われ、彼は第一副議長に選出された。議長は、モスクワ音楽院時代の管弦楽法の恩師であり、オペラ《赤いけし》などで知られた作曲家グリエールであった。そしてもう一人の第二副議長は、すぐれたソビエト歌曲の作曲家ドナエフスキーだった。

――グリエールは根っから善良で、人々に対して細かな心配りをした。彼はいつでもたくさんの作曲家たちの創造上の問題や専門的なことがらのみならず、生活上の困窮や要求も満たそうと心がけた。ドナエフスキーとは互いに尊敬の念をいだきあっていた。この〝ソビエト歌曲の王〟のことを思い出すと心あたたまる。しかし作曲家同盟の仕事は限りなく多く、この活動にかなりの時間をさかれてしまった。

二年後の一九三九年には、全ソ作曲家同盟の創造連盟副議長に選出された。ちょうどそのころ、全ソ音楽基金が設けられた。その音楽基金の仕事のひとつに「創造の家」の建設があり、これもハチャトゥリヤンの仕事であった。「創造の家」というのは、作曲家が作曲に専念しやすいように、郊外の快適な場所を選んで別荘風に建てられた家である。作曲家は年に二か月ほど出かけることができ、ここで一人ずつ、独立した家屋を割り合てられ作曲に没頭できる。ハチャトゥリヤンは、そのような「創造の家」を建設すべく、グリエールらと下見に出かけたりして東奔西走する。

このような多忙な作曲家同盟の仕事の中でも、一九三八年には《交響的オーケストラと合唱のための――スターリンに寄せるポエム》、三九年には最初のバレエ《幸福》を作曲し、そしてハチャトゥリヤンに世界的な名声をもたらしたヴァイオリン協奏曲の創造へと近づいていく。

バレエ《幸福》は、ソビエト政権下でのアルメニアの生活をテーマとした作品である。アルメニアの民謡、民舞を巧みに管弦楽化したハチャトゥリヤンの音楽のおかげで、モスクワのボリショイ劇場を借りて行われたエレヴァン劇場バレエ団の初演は成功した。台本と舞台構成は貧弱であったが、バレエの音楽は高く評価され、ハチャトゥリヤンは初めてレーニン賞を受賞した。バレエ《幸福》の音楽は、次に作曲されたバレエ《ガヤネ》（日本では《ガイーヌ》と呼ばれることが多い）の基礎ともなっている。

若き日のハチャトゥリヤン

国際的な名声をかちえたヴァイオリン協奏曲

ピアノ協奏曲の成功ののち、ハチャトゥリヤンが自分の気質にも合う華やかで色彩的な協奏曲のジャンルに、再び挑戦したのは当然ともいえよう。今度はヴァイオリン協奏曲である。一九三六年の全ソ音楽演奏家コンクールで一位をとった若いダヴィード・オイストラフの出現も、作曲への刺激となっていたようだ。

一九四〇年の夏、ヴァイオリン協奏曲を書きあげるために、家族とともに開設されたばかりの「創造の家」《ルーザ》に出かけた。すでに協奏曲のテーマとなる素材――第一楽章の第一・第二主題、それに第二・第三楽章のテーマはできあがっていた。

――仕事部屋の窓からまっすぐ森が見渡せた。何か幸せな気持ちに満たされながら作曲することができた。それに私の子どもの誕生も間近だった。生きることへの勇気や喜びの気持ちが音楽へと変容した。…仕事はきわめて速く進んだし、私のファンタジーはほとばしるかのようだった。

――二か月半で書きあげると、私はモスクワに出てオイストラフの家を訪れ、ヴァイオリン協奏曲の全楽章をピアノで弾いた。もちろんおおよそのところを弾いたわけで、あるところはオーケストラのパートだけを弾き、あるところは歌い、あるところは両手でヴァイオリンのパートを弾くというぐあいだった。私はピアノ協奏曲のときにレフ・オボーリンの言ってくれ

ヴァイオリニスト，オイストラフ（右）と

たことばを思い出していた。『歌ったり、うなったり、口笛を吹いたり、うめいたりしなさい——そんなすべてのことから、あなたが何を望んでいるかがわかります』オイストラフは注意深く楽譜を見ていたが、全部わかった——私にはそう思えたのだが——ようすで、楽譜を置いていってほしいと言った。

二、三日して、《ルーザ》の「創造の家」にオイストラフがやってきた。今度こそ、私はいくぶんでも滑らかにピアノを弾かなければならなかったが、私は作品を仕上げることに夢中で、伴奏は練習していなかった。止まったり、弾き直したり、まちがったり、くり返しを頼んだりして、結局話すことの方が多くなってしまった。

幸いなことに、このとき《ルーザ》に才能ある作曲家で女流ピアニストのザーラ・レヴィーナが滞在していた。彼女はすばらしく初見がきくのだが、オイストラフと協奏曲を弾くことを引き受けてくれた。「創造の家」《ルーザ》に滞在していた作曲家たちはそろって、新しい作品のオイストラフによる演奏を聴こうと集まってきた。グランドピアノが部屋の半分以上を占めていたので、大部分の人たちはピアノ室に続くテラスからながめていた。

このときの演奏は、誇張ではなく、後のオーケストラ伴奏による演奏では一度も聴けなかったくらい実に見事なものであった。私は涙を流さんばかりに我を忘れて興奮した。それほどの想像することもできないくらいのすぐれた演奏だった。私自身はもちろんのこと、友人たちもこの作品を気に入ってくれた。

国際的な名声をかちえることになるヴァイオリン協奏曲の初演は、一九四〇年十一月十六日、モスクワのチャイコフスキー・ホールで行われた。ソリストは、もちろんダヴィード・オイストラフであった。彼は次のように語っている。

「ハチャトゥリヤンのヴァイオリン協奏曲の音楽は心からにじみ出たものであり、独自性があり、旋律的美しさにあふれていて、民族的色調と機知に富んでいる…。

私のヴァイオリンは、この協奏曲を世に出すためのきっかけを担うよう運命づけられていた。協奏曲はハチャトゥリヤンの全作品を性格づけている、あの祝祭的華やかさと生命力で人々をひきつける。この作品に冷淡でいられる人はだれもいないとはっきり言うことができよう」

ヴァイオリン協奏曲は、すでにこの当時広く知られていたピアノ協奏曲とともに、ハチャトゥリヤンに世界的な名声をもたらした。

また、ハチャトゥリヤンは、このヴァイオリン協奏曲の作曲によって、初めてソビエト国家賞を受賞したのである。

ハチャトゥリヤンは同じ時期に、二つの映画音楽と二つの劇音楽を作曲した。そのひとつ《仮面舞踏会》は、一九四一年ヴァフタンゴフ記念モスクワ劇場で上演された。この劇はその後ずっと上演されていないが、ハチャトゥリヤンの音楽はポピュラーなものになり、ことにその中の『ワルツ』は、『剣の舞』と並んで広く人々に愛されている。

一夜で作曲された『剣の舞』

一九四一年、ドイツ軍のソビエト侵入が始まった。ハチャトゥリヤンはこの時期、バレエ《ガヤネ》や第二交響曲という大作と並行して、大衆歌曲や吹奏楽曲を作曲している。《ガステッロ大尉》、《ウラル娘》、《力強いウラル》、《大祖国戦争の英雄にささげる行進曲》などが代表的で、これらの歌の中でハチャトゥリヤンは、祖国の自由と幸福のために生命をかけたソビエト国民の、すばらしい勇敢さをたたえたのであった。

第二次世界大戦が始まったころ、ウラル地方のペルム市に疎開していたキーロフ記念レニングラードオペラバレエ劇場が、バレエ《ガヤネ》の作曲を依頼してきた。台本はハチャトゥリヤン

バレエ《ガヤネ》より第4幕『剣の舞』

バレエ《ガヤネ》より

とも親しいジェルジャービンの作である。ハチャトゥリヤンはさっそくペルム市に出かけ、新しいバレエ音楽の作曲にとりかかった。彼は毎日十二時間から十四時間も仕事をした。そのなかから生まれたのが、大戦後世界中に爆発的な好評を博した『剣の舞』である。それがどのようにして生まれたのか、ハチャトゥリヤンはモスクワ音楽院留学中の私に、次のように話してくれた。

――初演の前日になって、どうしてももう一曲新しい舞曲が必要だということになった。午後三時からとりかかったのだが、真夜中を過ぎても手がかりがつかめない。時間だけがむなしく過ぎていく。私はさまざまなリズムを指で机をたたいて試してみた。何か新しいリズム、剣をもって舞うにふさわしい激しいリズムが必要だった。…明け方近く、ついに新しいリズムがみつかった。それが『剣の舞』だ。

こうして、名曲『剣の舞』はたった一晩で作曲されたのである。

「もしアラム・ハチャトゥリヤンが、このメロディーただひとつを書いたとしても、国際的に著名な作曲家になったに違いない。存命中にこのようなポピュラリティーをかちえた作品をつくり出した作曲家は、音楽史上そう多くはない」

と音楽評論家ニコライ・ポポフは書いている。

バレエ《ガヤネ》は、バレエ演出家N・アニシモワ、指揮P・フェリド、美術N・アリトマンによって、一九四二年十二月九日、キーロフ記念レニングラード劇場によってペルム市で初演され、大成功をおさめた。

K・ジェルジャービンは当時の劇場新聞に次のように書いている。

「バレエ《ガヤネ》の音楽は、まちがいなく作曲家のもっとも有力な作品のなかに加えられるに違いない。プロコフィエフのバレエ《ロミオとジュリエット》のあと、《ガヤネ》は偉大で、まじめで、情緒あふれた音楽と、スケールが大きく表情豊かな踊りの可能性を切り開いた独特な形式をもった交響性によって、ソビエトの舞踊劇場に決定的な転換を記そうとしている」

バレエ《ガヤネ》にたいし、ハチャトゥリヤンに一九四三年、二回目のソビエト国家賞が授与された。

《ガヤネ》の音楽は劇場だけでなく、むしろコンサート・ホールで組曲としてよく演奏されている。『バラの娘たちの踊り』、『子守歌』、『レズギンカ』なども、『剣の舞』とともに世界の音楽愛好家たちに広く親しまれている。

その後、協奏曲の三部作としてのチェロ協奏曲や、第三交響曲、バレエ《スパルタクス》と実り豊かな創造の道を歩んで、東京で私が初めて出会ったとき、ハチャトゥリヤンは人生のふし目にあたる満六十歳を迎えようとし、自他ともに認める国際的な巨匠であった。その歩みの詳述は、私の翻訳で近く出版を予定されているユゼフォーヴィチ著『ハチャトゥリヤン』(音楽之友社)に譲ることにする。伝記はここで割愛して、モスクワ音楽院でのハチャトゥリヤンとのふれあいを述べてみたい。

第二章　モスクワ音楽院にて

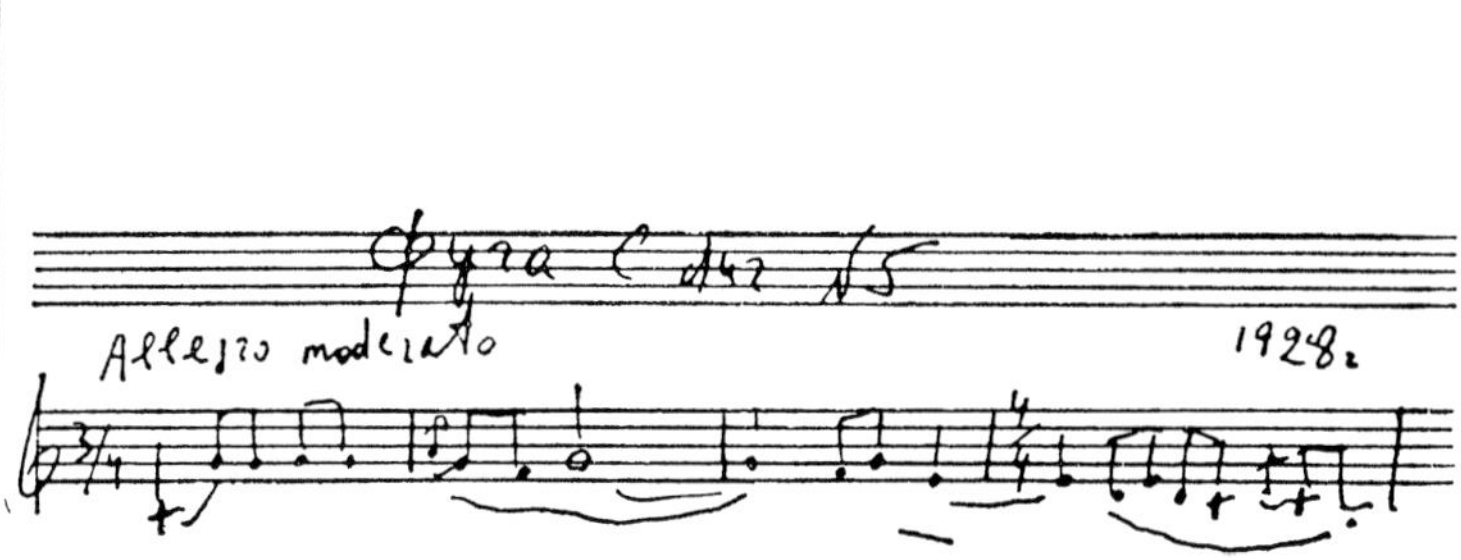

フーガ　ハ長調　第五番の自筆

一、ハチャトゥリヤンのもとで学ぶ

大勢の友人や教え子たちに見送られ、私が船で横浜を旅立ったのは、ハチャトゥリヤンと出会ってから一年後の一九六四年八月末のことであった。

横浜からナホトカまでの二泊三日の船旅、ナホトカからハバロフスクまでの一晩の汽車の旅、すべてがもの珍しく快適だった。ハバロフスクからは空の旅で、モスクワ空港に降りたったのは八月三十日の夕刻、日本の秋を思わせるはだ寒さだった。空港には同郷の川越史郎氏が出迎えてくれた。彼はシベリア抑留後モスクワに残って、雑誌『ソビエトグラフ』の編集にあたっている。その夜はモスクワ総合大学の近くにそびえたつ、四百世帯もあろうかと思える巨大な鉄筋アパートの彼の一室に泊めていただいた。

翌日、川越氏の案内でモスクワ音楽院に出かけた。音楽院はモスクワ市の中心部、クレムリンからほど近いところにあり、白樺の茂みを背にしたチャイコフスキーの優雅な座像が印象的であった。これが正面玄関である。校舎は白樺の茂みの向こうに奥深く建てられているのである。

ハチャトゥリヤンは海外への演奏旅行のため不在で、作曲学科主任教授ミルゾイヤンほか数名が面接に立ちあった。簡単な入学試験である。緊張しながらも、すでに準備しておいた自作を二曲ピアノで演奏し、そのあと簡単なソルフェージュと聴音のテストがあって、面接は終わった。

すでにハチャトゥリヤンの推薦とソビエト文化省の招待状を受けとっていたのだから、形ばかりの面接であった。ミルゾイヤンは、ハチャトゥリヤンが不在の間ピアノとロシア語のレッスンを受けるよう指示してくれた。

一九六四年九月一日、こうしていよいよモスクワ音楽院での新しい生活が始まった。

チャイコフスキー記念モスクワ音楽院

モスクワ音楽院はチャイコフスキーが作曲を教えたことを記念し、ソビエトの人々が今でも最も尊敬するこの作曲家の名前をとって、チャイコフスキー音楽院とも呼ばれている。チャイコフスキーのほか、革命前にここでスクリャービン、ミヤスコフスキーらが教鞭をとっていた。

一九三三年に長い外国生活から戻ったプロコフィエフもモスクワ音楽院で教鞭をとることになる。このプロコフィエフをはじめ、ハチャトゥリヤン、ショスタコーヴィチ、カバレフスキーらが作曲科の教授陣に加わってモスクワ音楽院の権威は飛躍的に高まったのである。

私がモスクワ音楽院に留学したころは、演奏部門でもピアノのレフ・オボーリン、エミール・ギレリス、ヴァイオリンのダヴィード・オイストラフ、レオニード・コーガン、チェロのムスティスラフ・ロストロポーヴィチ、ダニール・シャフランなどの世界的な演奏家が肩を並べており、名実ともにモスクワ音楽院は世界第一級の水準にあった。

音楽院正面玄関チャイコフスキー像前で
前列左・筆者，右・平田恭子（声楽）

学生たちはソビエト連邦内に数千校近くある十年制の音楽小学校か、四年制の音楽専門学校を卒業しているから、音楽院入学前にすでに高い力を身につけていた。音楽院は五年制だが、地方の民族共和国から来る学生などには、格差をなくすために予備科が用意されていた。学生たちは、学費は無償でそのうえ奨学金が支給される、というめぐまれた環境で勉学に励んでいた。

こういうすばらしい音楽院で、しかもすぐれた作曲家ハチャトゥリヤン教授のもとで学べるのは幸せであった。

音楽院学生寮での生活

私がはじめに住んだのはモスクワ音楽院の学生寮である。音楽院からバスで四つほど乗ると道

学生寮で歌う留学生たち（日本，ブラジル，メキシコ，東ドイツ）

が石だたみになる。革命当時ここが労働者・農民軍の根拠地になり、ここから戦いが始まったことを記念して、当時のままに石だたみが残されているとのことだった。

学生寮は石だたみのバス通りからちょっと入ったところにあり、新設されたばかりの四階建ての美しい建物だった。入口をはいると広いサロンと食堂が続いている。ここが学生たちの憩いの場であり、朝晩の食事をとることもできる。私は四階の一室で五年生のヴァイオリニスト、ステパン・ミルトニヤンというすばらしい若者といっしょに生活することになった。

彼はウズベク共和国の首都タシケントから出てきたが、もともとアルメニア人である。非常に思いやり深く、ロシア語のまったくわからない私を何かと助けてくれた。毎朝二人は仲良く買物に出かけ、道々彼は何かを指さしてはロシア語を教えてくれた。日本の二、三倍もある大きなビンにはいった牛乳は、上の方に脂肪がたっぷりとたまり、生のままで新鮮である。それと、こぶし大のチーズとおいしいパンを買って帰り、彼とともにとる朝食の楽しさはいまだに忘れることができない。

寮の各室にアップライトピアノが一台ずつあるうえに、地下にはグランドピアノを配した練習室があったが、ミルトニャンは私に気をつかって外で練習していたので、思う存分勉強にうちこめた。朝六時から九時までと夕方六時以降は音楽院の教室を借りることができるので、ときどきそこへもでかけた。偉大な音楽家の肖像画がかかげられた教室では、ひきしまった気分で課題に没頭することができた。

モスクワ音楽院には七十〜八十人程度の留学生が在籍しており、その大部分が同じ学生寮に住んでいるので国際色豊かであった。なかには、国際的に活躍したイギリスの若いチェリスト、ジャクリーン・デュプレもいた。メキシコとブラジルから、私と同じく作曲を専攻するラファエルとエリオという青年が来ていた。彼らはよく集まってはギターに合わせて歌い、私も彼らのフォークソングに聞きほれた。アラブ、イラン、イラクなどからもたくさんの青年が来ていた。しかしいちばん多いのはもちろん社会主義国からの学生たちで、なかでもベトナムの学生たちとは、なんとなく気持ちのうえでも通じ合うものが多く、すぐに親しくなった。

ソビエトの学生は私たち外国人に親切だった。もともとソビエトは多民族国家で、髪、皮膚、目の色などさまざまであるから、外国人といってもそれほど目新しさはないわけである。例えば、キルギス、アゼルバイジャンなどの中央アジアやシベリアのイルクーツク、ヤクーツクなどから来ている学生のなかには、日本人と見まごう顔だちのものもいて、彼らも私に親近感をもっていたようだ。モスクワにいる間、私はたびたびキルギス人やベトナム人と間違われた。あるときなど、キルギスから出てきたばかりのおばあさんにキルギス語で話しかけられてドギマギしたり、ある若者がキルギス語で話しかけてきたのに、私が知らんぷりしたというのでものすごい剣幕でなじられたこともある。旅行者は、そのいでたちから日本人であることが目だつのだが、そこに居ついてしまうと日本人ですら目だたないほど人種が多様である。こういうお国がらだから、皮膚の色の違いで差別する気持ちなどとうになくなっている感じであった。

日曜日にはときどき同室のミルトニヤンの計画で、六、七名の学生で郊外の森へ遊びに出かけた。郊外電車に乗って四つ五つ駅を過ぎると、もうあたり一面森と野原である。そこらを散策したり、フットボールに興じたり、あるときは肉や野菜を買いこんで、森の中で枯れ枝を集めて火を起こし、本物のシャシュリク（焼肉）に舌つづみをうったこともある。九月の末だったか、モスクワ郊外のアルハンゲリスク——ここは革命前の貴族の館があり、いまは博物館になっている——で見た、秋雨にぬれた黄葉の美しさが今なつかしくよみがえってくる。

師ハチャトゥリヤンとの再会
――はじめてのレッスン――

海外演奏旅行にでかけていたハチャトゥリヤン教授が帰国して、いよいよモスクワ音楽院での初レッスンの日がやってきた。この日も同郷の川越さんに通訳をお願いする。教室は四階の五十六番教室。すでに学生数人が待っている。

しばらくしてハチャトゥリヤン教授が懐しい姿を現わした。日本で会ってから一年半ぶりの再会である。あの日と同じように、いまにも落っこちそうな大きなひとみを一段と見ひらいて、人なつこい笑みを浮かべながらぶ厚い手で私の手を暖かく握りしめてくれた。

教室に集まっていたのは、助手のエドアールド・ハガゴルチャン、大学院生のラミス・イブラギーモフ（アゼルバイジャン出身）、五年生のアレクセイ・ルイヴィニコフ、同じくキリル・ヴォルコフ、三年生のマルク・ミンコフの六人。

――はるばる勉強にやってきた日本人学生のノビヨ！　これで国際的なクラスになった。

と紹介してくれた。ハチャトゥリヤンは私の名を「ノビヨ」と覚えてしまった。そのあと急に厳粛な顔つきになって、

――この部屋は、かつて偉大な作曲家ニコライ・ミヤスコフスキー教授がレッスンをした教室で

ハチャトゥリヤンのサイン「ノブオに幸あれ」

ある。私もここで学んだ。熱気あふれるクラスであった。このクラスもそのような伝統を受けついでほしい。怠惰はきみたちの創造性をさびつかせてしまうぞ。

とさとされた。ハチャトゥリヤンの声はぶ厚く低かった。

最後に、私には次のような課題が言いわたされた。

――ノビヨは日本人だから、日本のかおりに満ちた作品を書いて日本民族の心を歌いあげなさい。初めに日本民謡の一節かそれに近いオリジナルのモチーフで、ピアノのための小品をいくつか作曲してみること。

それから、できるだけたくさんコンサートに出かけて音楽を聴くこと。自分が作品を書けなくても、週一度のレッスンには毎回欠かさず出席して、ソビエトの学生がどんな作品を書いてくるかよく聴くこと。週一回私に作品を見せる前に、助手ハガゴルチャンのレッスンを受けること。

すでに週四回八時間のロシア語の授業と、週一時間のピアノのレッスンが始まっていたが、それに加えて、毎週二回の作曲のレッスンを受けることになった。

モスクワの音楽界

ロシア・ソビエトの音楽をできるだけたくさん聴くというのは、ハチャトゥリヤン教授から与えられた課題であり、同時にかねてからの私の念願でもあったので、つとめてコンサートやオペラ・バレエに出かけた。

モスクワ音楽院のなかに大ホールがあり、これがモスクワで最も歴史の古い代表的なコンサート・ホールである。つくりは古いがそれだけに落ちつきがあり、きわめて音響のよいホールである。ステージを飾っている美しいパイプオルガンや、両壁にかかげられた古今の代表的な作曲家の肖像画が、一段と音楽的雰囲気をかもし出しているのもすばらしい。いまひとつ小ホールもあり、そこでも毎晩コンサートが行われている。この二つのホールには夜の勉強の合い間にステージをのぞくこともでき、そういった手軽さからたびたび足を運んだ。

このように学校のなかにコンサート・ホールがあるのは学生たちにとって大きな魅力である。

夜のコンサートのための練習が昼間から行われているので、いつでも聴きに出かけることができる。これは学生たちにとって非常に意義ある学習でもある。外国から有名なソリストやオーケストラが来ると、その練習風景を見ようと、朝から学生や教師それに音楽好きな老人たちまでが大勢集まって、ホールが満員になることさえある。

学生のためには無料券や学割券があるが、一般にモスクワでのコンサートの入場料は安く、二百円から千二百円くらいで、オペラの場合でも最高が千四百四十円である。それはオーケストラでもソロでも、また一流であろうとなかろうと同じである。ゴスコンサート（国立演奏協会）がコンサートを組織し、国費で音楽家の生活が保障されているからである。

「モスクワの冬」「モスクワの星」と銘うって年に二回芸術祭が行われるが、この期間特にすばらしいプログラムが用意される。たとえば、日本にも来演して圧倒的な人気を博したピアノのリヒテル、ヴァイオリンのオイストラフ、チェロのロストロポーヴィチなどが、単独であるいは組んで名演を聴かせてくれる。この三人がトリオを組んだときには、熱狂的な人気をよんで大騒ぎだった。ショスタコーヴィチの新作の初演も人気があった。また外国からの名演奏家や著名なオーケストラが来ることも多い。そういう魅力的なプログラムだと、コンサートの始まる前から大勢の聴衆が押し寄せ、その整理にお巡りさんや学生の要員が配置されることになる。入場券が手にはいらなくてもなんとかして聴こうとする連中――たいがいは学生たちで、私もたびたびそ

モスクワ音楽院大ホール

日本のマダムバタフライコンクールで優勝したリーダ・ザハーレンカを囲んで

のひとりだった——も集まってくる。ねばってもぐり込もうというのである。入場整理員の方でも、初めはなかなか許してくれないが、そこは心得たものでそのうち大目に見てくれる。そんなわけだからホールは超満員となり、階段に肩をくっつけて腰かけたり、立見も立すいの余地なしというありさまになる。こんなときのコンサートは、ホールにたちこめる聴衆の熱気が演奏家にも伝わって、忘れられないような迫力のあるコンサートになる。

しかしなんといってもモスクワ市民にいちばん人気があるのは、バレエとオペラであった。有名なボリショイ劇場やクレムリンの中の大会宮殿劇場、スタニスラフスキー・ダンチェンコ記念音楽劇場などで毎晩上演されているが、一週間前に売り出される入場券が二、三日で売りきれ、なかなか手にはいらないというのが現状である。

私もたびたび出かけてロシア・ソビエトの主要なオペラ、バレエを見ることができたが、日本では名前さえ紹介されていない、しかも感動的な名曲が数多くあることに驚き、ロシア音楽の伝統の厚みをあらためて認識させられる思いであった。

ロシア音楽は、グリンカの国民的なオペラ《イワン・スサーニン》を契機として開花した。それに続くムソルグスキー、リムスキー・コルサコフ、ボロディン、そしてチャイコフスキーのオペラやバレエにすばらしいものが多いが、革命後にもプロコフィエフやショスタコーヴィチなどがすぐれた作品をかいている。ことにハチャトゥリヤンのバレエ《スパルタクス》はそのころモスクワで圧倒的な人気をよんでいた。

秋——ハチャトゥリヤン自作自演のコンサート——

私がモスクワに着いた八月の末は、すでにうすら寒い日本の秋を思わせる日々だった。日本の残暑など想像だにできない気候である。そしてシトシトと煙るような長雨…。雨に打たれて光る黄一色の秋の情緒が、家族や仲間と離れた私の心を時おり物憂くした。「秋の長雨」という言葉があるから、日本でも秋に雨はつきものかもしれないが、私には秋といえば、「秋晴れ」とか「天高く馬肥ゆるの候」という申し分のない青空と結びついている。しかしモスクワでは「秋晴れ」などお目にかかることはまずなかった。

指揮をするハチャトゥリヤン

そういった秋雨に煙るモスクワの一夜、物憂さを吹きとばすように、アラム・ハチャトゥリヤン自作自演コンサートが、モスクワ音楽院大ホールで熱い期待のうちに開かれた。ちょうどそのころモスクワ音楽院留学中だったピアノの山根彌生子さん、ヴァイオリンの佐藤陽子さんとお母さん、ソプラノの平田恭子さんを誘ってでかける。プログラムは、バレエ組曲《ガヤネ》、組曲《仮面舞踏会》からの抜粋、第二交響曲だった。

日本で『剣の舞』とヴァイオリン協奏曲くらいしか知らなかった不勉強の私にとって、この夜のコンサートはまったく衝撃的だった。作品のすべてがその独自性とダイナミズムで、私の心を震かんさせたのである。

『剣の舞』を含む組曲《ガヤネ》の見事さは言うまでもないが、初めて聴いた《仮面舞踏会》のなかの、ことに哀愁をおびた目くるめくような『ワルツ』に魅了された。そして第二交響曲冒頭に鳴り響く、警鐘をほうふつとさせる強奏するオーケストラ群の迫力、第三楽章の葬送行進曲を思わせるような、それでいて民族色の濃い哀歌が心にしみた。

ハチャトゥリヤンの音楽の魅力はまずリズム、そしてその鮮明な旋律である。これらは、ハチャトゥリヤンの音楽を大衆的なものとしている。そして色彩でいえば原色画の華麗さともいうべきオーケストレーションの巧みさ、的確さがそれを助けている。そして最も大切なことは、民族色がそのすべての土台となって、ハヽチャヽトヽゥリヽヤヽンヽ風な独自の世界を彩っていることだと思う。

指揮台に立ったハチャトゥリヤンは、彼の音楽のように堂々としていて情熱的だった。そしてアンコールに応えて、六、七回小曲を演奏するというエネルギッシュな指揮ぶりだった。

演奏が終わって、日本人みんなで楽屋のハチャトゥリヤンにあいさつに出かけた。そんなときモスクワでは、男も女も抱き合ってほおにキスをする。その日も楽屋には長い長い行列ができていて、聴衆は心からハチャトゥリヤンに祝福のキスをおくっていた。打ちそろってあいさつにやって来たモスクワ音楽院の日本人学生を見ると、ハチャトゥリヤンはことのほか喜んでくれた。

秋から冬へ
──処女作ピアノ組曲《日本の素描》を書きあげる──

雨にうたれて光る黄一色の秋も情緒をさそうが、その長雨がいつの間にかみぞれをまじえ、つ

音楽院大ホール前で

いには雪となってモスクワの街を、樹々を白くつつんでしまう。白一色のモスクワ。南国宮崎生まれの私にとって、それはまさにモスクワを象徴する季節に思えた。雪の舞う日など、ただでさえ短い日中はほの暗い陰うつさにおおわれるが、モスクワっ子は家にとじこもっていない。雪に誘われて若者たちはスキーやアイスホッケーに興じ、母親は赤ん坊を雪ぞりで引っぱり、老人たちでさえ腕をくんで散策するといったぐあいで、街中がかえって活気づくかのようであった。

雲ひとつなく晴れた日のモスクワ——それは冬の間、ごくまれにしかお目にかかることはないのだが——の街は、また格別な美しさであった。太陽にきらめくクレムリン宮殿など、私の目にはまさにおとぎ話の世界そのもののかれんな姿に写し出された。ところが晴れた日に限って外に出てみると寒さが厳しく、零下二十五度、三十度という寒さであった。そんな日、青空から小さな氷片がきらめきながら舞いおりてくるのは、まったく不思議な現象としか見えなかった。

その割に、モスクワの寒さは体にこたえなかった。モスクワ市内のあちこちにある火力発電所の廃物利用の熱湯が、スチームとなって全市の建物に届いており、どの部屋に入っても春のような暖かさが約束されていたからだ。

雪が降りはじめると、すぐさま除雪車が出動する。広いモスクワの通りを何台もの除雪車が並んで、雪煙を巻きあげながら進む光景は壮観であった。考えてみると、七年住んでいた間に雪で交通機関がとまったことは一度もなかった。

さて、私の作曲の方はというと、歌の作曲からはいって、日本では一度も器楽曲を書いたことのない私にとって、ピアノ組曲を書くというハチャトゥリヤンの最初の課題は、ちょうどそのころのうす暗く灰色のモスクワの空のように、心に重たくのしかかっていた。

ようやく二、三曲しあげて初めてのレッスンで弾いたときなど、私はすっかりあがってしまって、演奏は何度も止まってしまうというありさまで、そのつどハチャトゥリヤンは立ちあがって、居たたまれないようすで教室内を歩き回るというぐあいであった。彼が満足していないことははっきりうかがえたし、私もこれは大変なことになったぞ！　と気ばかりあせったが、どうしようもなかった。

それでも、十二月末までにようやく七曲からなるピアノ組曲《日本の素描》を書きあげることができた。一九六四年の暮れ、留学四か月目であった。後になってこの曲を、同級生でレニングラード出身のピアニスト、タチアナ・ルピーキナが見事に演奏してくれたときには、さすがにハチャトゥリヤンも喜んでくれて、私の楽譜の表紙に

――大変すぐれた曲である。出版に値すると思う。

とありがたいサインをしてくれた。

新年を迎えて

――第二作《五つの日本のわらべうた》を書く――

新年が近づくとモスクワの街の広場のあちこちに、高さ二十メートルもあろうと思える、見あげるようなモミの木が飾られ、夜ともなれば点滅するネオンが街を彩る。新年を祝うヨールカ祭の歌と踊りの集いが、もっぱら子どもたちのために開かれ、新年の贈り物を手に楽しそうに帰る母と子の姿をよく見かけたものである。

正月はモスクワでは、日本ほど大きな祭日ではない。ただ、日本とは違った一風変わった祝いかたが習わしになっている。人びとは三十一日の夕方からひと眠りして、一月一日の午前零時から始まる新年パーティーに出かける。それは友人の家であったり、ホテルのレストランであったりさまざまであるが、零時にシャンパンのせんが景気よく抜かれる。そしてワイン、ブランディ

ー、ウオッカなどのボトルを林立させ、飲んだり歌ったり踊ったり、にぎやかなパーティーが夜明けまで続くのである。

しかし、お祝いは一日の夜明けまでで、二日から街は日常生活に戻る。音楽院でのレッスンも、二日から普通どおりに始まったのにはいささかのとまどいを覚えたものだった。もっとも、このころから一月半ばまで、学生たちは前期の中間試験に追われる時期でもある。私はロシア語とピアノと作曲の試験を受けた。そして、一月二十日から十日ほどの短い冬休みが始まった。

スーズダリで零下50度を体験

モスクワ郊外にある、日本の国民宿舎にあたる「休息の家」への優待券を、モスクワ音楽院からいただいたので出かけることにした。普通は実費の半額が個人負担になるそうだが、私たち外国からの留学生は全額無料の優待券である。

ところが、バスに乗るころからやけに冷えこみが厳しくなってきた。あいにく暖房のきかないバスだったので、寒さは内側が毛皮張りの靴を通してこたえる。冷たいどころではない、痛いのである。同乗していたロシア人たちまで悲鳴をあげ、「休息の家」に到着するまでの一時間余、バスの中でみんな足踏みしながら痛みをこらえるという苦行を強いられた。着いてみると零下四十度だという。こんな寒さはモスクワでも珍しく、七年間の留学中にカリーニン市でもう一度体験しただけである。もっとも、つい最近冬のモスクワを訪れたときには、教会の町スーズダリで零下五十度を体験したが――。

さて、白樺の林のなかにあるこの「休息の家」では、みんな昼間はもっぱら疲れるまでスキーを楽しんでいた。スキーといってもほとんど起伏がないので、たいがいは林のなかを歩くスキーである。少しばかりある斜面は行列ができていて、順番を待って滑走を楽しんでいた。

「休息の家」へは十日間の招待であったが、日本人はだれもいないしロシア語はまだ不自由だし、それになにより、ハチャトゥリヤンからの課題である第二作の作曲のことが気がかりであった。結局のところ、私は二日ほどいただけで、すぐにモスクワに帰ることにした。

課題は次のようなものであった。

――民謡を素材にしてピアノ伴奏による独唱曲をつくること。ピアノのパートには歌のメロディーとは違ったオブリガートを考えて、その曲の内容にふさわしい伴奏形を見つけ出すこと。

その当時は、まだこうした課題を出したハチャトゥリヤンの真意がよくのみこめなかったが、自分が育った民族的な地盤から決して離れずに、独自な作風を創りあげたハチャトゥリヤンは、私にもそんな考え方を学ばせようとしていたに違いないと思う。だから第一作の課題は、民族的なイントネーションをモチーフとしたピアノ組曲の作曲であったし、第二作の課題も、声楽曲ではあるが民謡を素材にすることが要求された。

私は「わらべうた」を素材とすることにした。手元にあった岩波文庫の「わらべうた」から、独唱曲の素材としてふさわしく魅力のあるうたを探し、長崎地方の子守唄《ねんね　こんぼうよ》、広島地方の遊び歌《あっちの山から》、愛知地方の子守歌《守さ　子守さ》、沖縄地方の遊び歌《日ぬ　美しや》、高知地方の遊び歌《シャシャブとグイミ》の五つを選んだ。

休暇で人影のまばらなモスクワ音楽院の教室を借りて、作曲にとりかかったが、不思議と調子よく筆が進んで、休暇中に自分でも気に入った第二作を書きあげることができた。

ハチャトゥリヤンの自宅に招かれる

後期の最初のレッスンで、書きあげたばかりの《五つの日本のわらべうた》をハチャトゥリヤンに見せた日のことは、私の生涯のひとつの忘れ難い思い出となっている。

書斎（写真の多い本棚）

ちょうどその日のレッスンには、ヴァイオリニストの佐藤陽子さんが顔を見せていた。彼女は歌も得意であることを知っていたハチャトゥリヤンの希望で、私のピアノにあわせて彼女はこの曲を初見で歌ってくれた。まだあどけない少女の面影を残した彼女に、この日本のわらべうたはよく似合っていたし、実際彼女は見事に歌った。

演奏が終わると、ハチャトゥリヤンは、

――すばらしい作品だ。歌も単純なくり返しでなく変化がつけられていて、何よりもピアノ伴奏がその内容を支えている。五つの曲がそれぞれに異なった持ち味を見せていて、コントラストがある。和声やリズムも独自な風格で興味深い。ヨーコもよく歌った。

と大きなひとみを輝かせて語ってくれた。そしてレッスンが終わると、佐藤陽子さんと私を自宅に招いてくれたのである。

モスクワ音楽院の正面にあるチャイコフスキーの銅像を背にしてはじまる通りをネジダーノヴァ通りという。この通りの一角に、かつて著名なソプラノ歌手ネジダーノヴァが住んでいたことからこう呼ばれている。これは短い通りで、ものの四、五分も歩くと目抜き通りであるゴーリキー通りにぶつかる。その少し手前の右側に作曲家同盟の本部がある。最近、ト音記号の描かれた大きな看板が掲げられたのですぐわかるはずである。作曲家同盟の手前の右側は公園である。向かい側には、緑の屋根に白壁のヴァスクレセーニエ教会が落ちついたたたずまいを見せていて、結構な環境である。で、その作曲家同盟の建物に沿って右に歩くと、中庭の中央に突き出した玄関がある。あとでわかったのだが、この中に作曲家同盟のコンサート・ホールとレストランがあるのだ。

応接間

突き出した玄関の右側の階段を四つ五つ昇ると入口があり、ハチャトゥリヤンは私たちをそこに導き入れた。九階建ての大きな石造りの建物である。これが、その後何度となくハチャトゥリヤンとともに歩いた彼の家への道すじである。

エレベーターに乗りながら、

——私の家は五階だが、六階にはショスタコーヴィチが住んでいる。

とハチャトゥリヤンがいう。二人の大作曲家が同じ建物に住んでいるとは…、と私が驚いていると、佐藤陽子さんが、

「この建物には、有名な音楽家ばかりが住んでいるのよ。私の先生のコーガンの住まいもこの一角にあるの」

と説明してくれた。ソビエトならではの住まいの実態に私は面くらってしまった。

応接間に通された。十四、五畳はあろうか。十人がけの大きなテーブルに腰かけてあたりを見まわすと、手彫りの装飾をほどこした見事な家具・食器棚・ステレオが置いてある。すぐ隣りはハチャトゥリヤンの書斎。高い天井まで届く書棚にはぎっしり書籍や楽譜がつまっているが、本の前面には大小のおびただしい数の思い出の写真が立てかけられているのに私は目をひかれた。指揮者として世界数十か国を旅したハチャトゥリヤンは、旅先でさまざまな人と出会い、それを思い出としてとても大切にしていた人であった。

ニーナ・マカーロワ夫人が現われた。やはり作曲家である。ソビエトを代表する女流作曲家のひとりといってよい。私とハチャトゥリヤンの出会いの場となった東京での〝ハチャトゥリヤン

歓迎会〟のときに一度お会いしていたし、しかもそのときの自作のオペラのすばらしいピアノ演奏が耳に残っていた。

そこで、夫人にも聴いていただくために、もう一度《五つの日本のわらべうた》を演奏することになった。書斎においてあるグランド・ピアノはスタインウェイであった。

作品は、マカーロワ夫人にもすっかり気に入っていただけたようすで、心からのお祝いのことばをいただいた。それからさっそく食卓について乾杯である。背広をぬぎエプロンをかけてすっかりくつろいだハチャトゥリヤンは、

——ノブオは、この作品で並々ならぬ才能をもっていることを示してくれた。あとは努力あるのみ！

と激励してくれたのであった。

春と夏——試験風景——

長い冬が終わると、緑の五月がやってくる。その変わりようは見事なもので、遠くの白樺の林が淡くかすんだと思うまにいたるところから緑が湧きあがり、街全体を包んでしまう。初めは黄色いたんぽぽ、それから白や赤の草花が咲きみだれて一度に春と夏がやってくる。このころになると冬とは反対に、太陽は沈もうとしない。夜のコンサートが終わって外に出てもまだ明るい。

ものみな美しく見えるたそがれの明るさが、夜半の十一時近くまで続く。これはまた甘美な愛と生気にあふれた季節である。

しかし、学生たちはのんきに遊び回ることは許されない。合否の判定がくだされる後期試験がひかえているからだ。追試験を受ける手があるというものの、とにかく一つの科目でも落とすと進級できないので、みんな真剣に勉学に励んでいた。

作曲の試験は、その年度に作曲した全作品の楽譜を提出したうえで、そのうちの一、二曲を演奏することに決められている。五月の半ばすぎに、ヴァイオリンの国際コンクールの審査がすんでハチャトゥリヤン教授が帰ってくると、われわれのクラスも作曲の試験の準備で、レッスンは活気をおびてきた。それぞれが試験で演奏してもらうクラスメイトの演奏家をレッスンに連れてきて、ハチャトゥリヤンに演奏を披露する。クヮルテットがあったり、ヴァイオリン・ソナタがあったりにぎやかである。演奏が終わると、ハチャトゥリヤンは演奏上の問題点について指摘する。その的確で鋭いことには、いつも驚かされたものである。

私は例の《五つの日本のわらべうた》のあとで作曲したソプラノのためのポエム《なんと美しい夕焼けだろう》(詩　中野鈴子)を演奏することにしたので、同じくモスクワ音楽院に留学中の平田恭子さんに、たびたびレッスンに来ていただいた。五分をこす大曲のロマンスである。ハチャトゥリヤンは、彼女の声も歌いっぷりもすっかり気にいったようすだった。

いよいよ試験当日。学生も試験場で演奏が聴けるというので、試験場に割り当てられた大教室に入ってみると、二十名に近い教授陣が顔を並べているのには驚いた。ハチャトゥリヤンはもちろんのこと、カバレフスキー、ソビエト作曲家同盟第一書記を務めるフレンニコフ、若き才能として注目されているシチェドリン、エシュパイといったそうそうたる作曲家が姿を見せているのだから、作曲家の卵たちにとっては胸の高鳴る思いである。学生たちは一学年七、八名であるから、五学年までで四十名くらいが集まって、さしもの大教室も人いきれと熱気がみなぎっていた。

こうして、約四十名の作品を審議する長い長い試験が始まった。ピアノ曲から交響曲までさまざまなジャンルの作品が披露される。交響曲やバレエ曲は、二台のピアノで演奏されていた。

私の作品《ポエム》は、平田恭子さんの見事な演奏のおかげで好感をもって迎えられ、最高点の五点の評価を受けることができた。試験が終わったとき、シチェドリンが私に暖かい笑顔と握手をおくってくれたことは今も忘れられない。

その日、ハチャトゥリヤンの自宅に呼ばれ、こう言われた。

——一年間に書きあげた作品をみやげに、日本に帰って東京で小コンサートを開き、日本の聴衆に作品を評価してもらってきなさい。

急に望郷の思いにかられた。六月二十日から二か月と十日間の長い夏休みである。すでに私の心は日本に飛んでいた。

帰省報告と作品を聴く会

七月の初めに、ハバロフスク経由でナホトカから船に乗り横浜港に入港。先輩や友人たちへのあいさつまわりをすませ、郷里の宮崎へ！　両親や家族のみんなと再会！

八月二十八日銀座のヤマハホールで、友人たちの留学派遣実行委員会が、「モスクワ音楽院・ハチャトゥリヤン教室留学《寺原伸夫帰省報告と作品をきく会》」を開いてくれた。

ピアニストの山根彌生子さんがピアノのための組曲《日本の素描》を、ソプラノの平田恭子さんが《五つの日本のわらべうた》と、ポエム《なんと美しい夕焼けだろう》を演奏してくれた。

この会に寄せてくれた作曲家清瀬保二氏の言葉を引用してみよう。

「先月、一年間の留学中の作品をテープで聴いて驚いたのは、作品のスタイルが留学前とまったく違っていることで、ハチャトゥリヤンも助手も大胆に新しい模索を勧めたというがその結果であろう。アカデミックにコチコチに仕立てる方法よりも興味がある。

まさか、いわゆるモダニズム作曲家に仕立てようとも思っていないだろうし、また寺原くんはアジア人としての意識もはっきりしているし、よい意味の現代性と民族性を漸次開いていくと思う。ハチャトゥリヤン自身、日本の聴衆の作品批評を待っているというが、よい機会である」

清瀬保二氏と同様、一般の聴衆も私の作品のスタイルに面くらったようである。というのも、留学前に私が日本で書いていた作品は主として大衆歌曲で、それに若干の合唱曲が加わる程度であったのが、モスクワではピアノ曲の作曲から始まったわけで、私としても、日本的で現代的な和声やスタイルを模索中であった。そのような大胆な探求を是とする者と、非とする者と、演奏会後の批評会では意見が分かれた。そういった批評を胸に、私はあわただしく、三十日には再び船でモスクワへたった。

ところで、ちょうどその同じ八月、ハチャトゥリヤンはピアニストのフリエル、ヴァイオリニストのピカイゼン、チェロのシャホーフスカヤとともに、ギリシアの各地へ演奏旅行をしており、とくに六万の聴衆を収容するアテネのヘロダ半円劇場での演奏の感動については、写真を見せて語ってくれた。

二、思い出あれこれ

こうして留学は二年目を迎えたのであるが、この本ではハチャトゥリヤンの思い出を中心に語りたいので、七年間の留学中の思い出のすべてにふれることはできない。それでも音楽院の生活の中で、ハチャトゥリヤンの思い出に直接かかわらなくても、ぜひ紹介したいいくつかのできごとをひとまず記しておこう。

作曲コンクールに入賞

一九六五年から六六年にかけて、うれしいできごとが二つある。ひとつは作曲コンクールに入賞したことである。

モスクワ音楽院で民族音楽をテーマにした作曲コンクールが開かれるというので、例の《五つの日本のわらべうた》を出品するようにと助手のハガゴルチャンが勧めてくれた。平田恭子さんと学友のルピーキナのコンビに演奏の準備を進めてもらう。

作曲コンクールは、一九六六年の三月十二日モスクワ音楽院大教室で開かれた。ピアノ曲・ヴァイオリン曲・弦楽四重奏とさまざまな作品があり、ハチャトゥリヤン教室のヴォルコフもヴァイオリン曲を提出していた。私の作品は、平田・ルピーキナコンビの演奏のすばらしさも手伝って好評であった。

全作品の演奏が終わって審査委員の教授たちが審査を行っている間に、ロシアの学生が何人か私のところにやってきて、

「ノブオの作品が一位だよ」

というではないか。

結局のところ、私の作品は一位なしの三位入賞という結果が発表され、審査委員から賞品としてマーラーの第四交響曲のスコアをいただいた。その裏表紙に

ノブオ　テラハラ

民族音楽を主題とした作曲コンクール第三位

一九六六年三月十二日

そして審査委員六名のサインがあった。

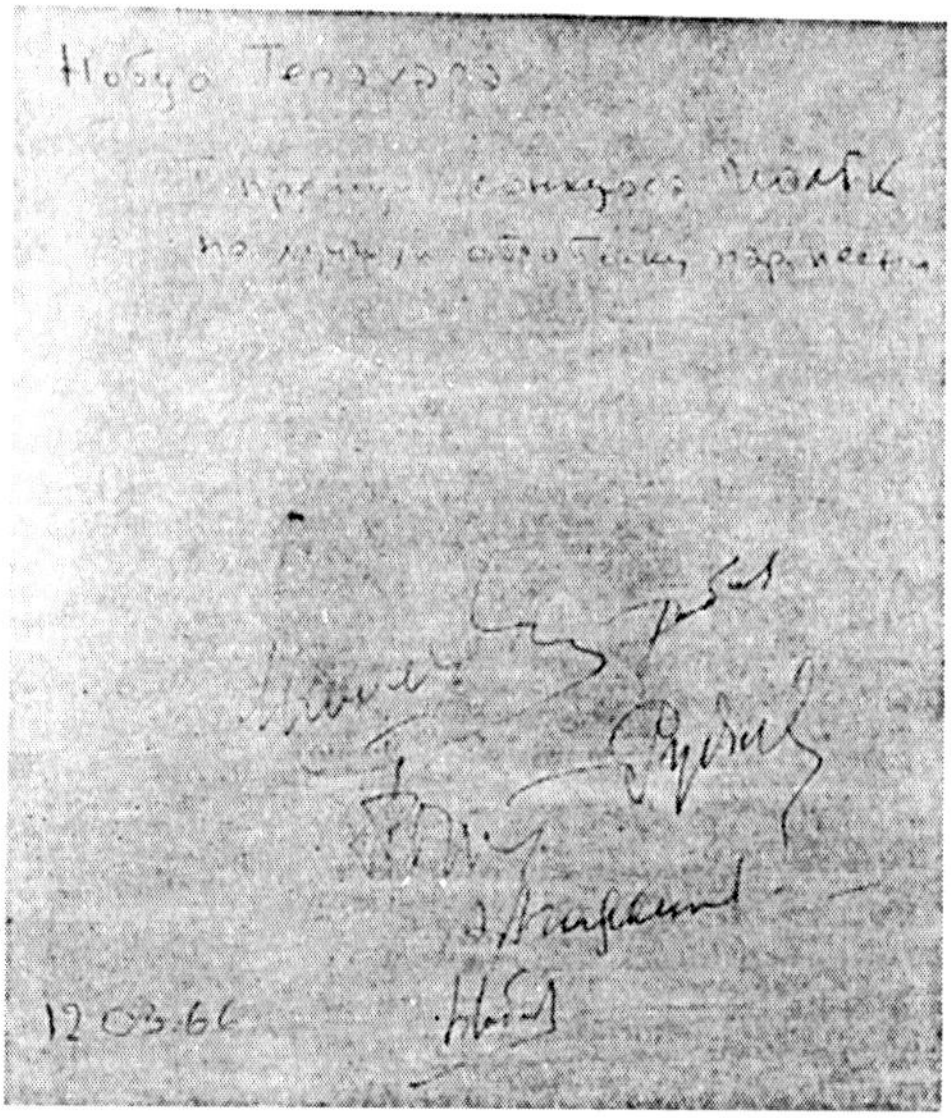

作曲コンクール入賞記念にもらったサイン

ハチャトゥリヤン教授の言葉通り、この作品の音楽性が審査委員にも認められたのである。留学してわずか六か月目に書いた作品で学内コンクールに入賞できたのは、幸運というほかはなく、これで入学以来周りの学生に対して抱いていたコンプレックスがしだいにうすらいでいった。この曲は、その後平田恭子さん、佐藤陽子さんが歌ってくれて、モスクワ

のテレビやラジオで放送された。さらに後になって、楽譜出版社『ソビエト作曲家』からロシア語訳の歌詞をつけて出版された。

チャイコフスキー国際コンクール

四年に一度のチャイコフスキー国際コンクールが開かれるのは、六月初めから七月にかけての初夏のモスクワ、いちばん快適な季節である。ピアノ・ヴァイオリン・チェロ・声楽の四部門からなるこのコンクールは、規模の大きさと質の高さでいまや国際的に権威あるものとなっている。参加者には片道の交通費が支給され、滞在費の方も選に落ちるまで支給される。もちろん入賞すれば、滞在費全額と帰りの交通費、順位に応じた賞金をもらうことができる。こうしたこともあってか、世界各国から二百四、五十名を越す参加者が集まってくる。

このコンクールにチャイコフスキーの名がつけられているのは、いかにソビエト国民が彼を愛しているかということを物語っているが、これは単に彼への尊敬と愛情のあらわれであるだけでなく、実はチャイコフスキーのすぐれた作品が、このコンクールの課題曲になっていることとも関連がある。ことに第三次の本選ではオーケストラとの共演となるのであるが、ピアノ部門ではあの有名なピアノ協奏曲第一番が、ヴァイオリン部門でもおなじみの彼のヴァイオリン協奏曲二長調が、第二次予選を通過したすぐれた演奏家によって十数回も鳴り響くことになる。チャイコフスキーは残念ながらチェロ協奏曲を書いていないが、その形式に勝るとも劣らないような名曲《ロココ風の主題によるチェロのための変奏曲》を書いていて、それがチェロの課題曲になっている。声楽部門では、オペラ《エフゲニー・オネーギン》や《スペードの女王》などの中のアリアが課題曲として選ばれている。そうしてこれらすべての課題曲が、コンクールのいやがうえにも高まった興奮の渦のなかで再現されるとき、チャイコフスキーの音楽のすばらしさを、若々しい演奏家の火花を散らすような演奏とともにたんのうせずにはいられないのである。

留学中、私は二度このコンクールを傍聴する機会に恵まれた。第三回目にあたる一九六六年と、第四回目の一九七〇年のコンクールである。この二回とも日本勢が活躍した年で、日本からの審査委員や参加者の接待に忙しかった。まず、第三回目から初めて声楽部門が設けられ、日本からの審査委員として、私にとっては大切な恩人である関鑑子女史が見えた。空港まで出迎え、久闊《きゅうかつ》を叙した。チェロ部門の審査委員としては、これまた日本でなにかとお世話になった山根銀二氏が出席され、チェロ部門に参加する安田謙一郎の世話を頼まれた。そんなわけでこのコンクールのときは安田くんに付き添って、主としてチェロ部門の第一次・第二次予選、そして第三次本選を聴くことになった。もっともその合い間に、日本勢の活躍していたヴァイオリン部門の予選にも顔を出した。本選は、いよいよオーケストラに合わせての演奏である。チェロ部門では、課題曲の《ロココ風の主題によるチェロのための変奏曲》と、自由曲としてチェロ協奏曲をなにか一曲弾くことになっている。さすがに本選ともなると、熱気と興奮がホールにあふれていた。安田謙一郎は小さい体軀にもかかわらずすばらしい演奏で、本選では一定のファンをかち得て三位に入賞した。チェロ部門では日本人として初めての入賞であった。ヴァイオリン部門も善戦して、潮田益子が二位、コーガンの弟子佐藤陽子は三位に入賞した。

第四回コンクールでは、イタリアで知りあった岩崎淑さんが弟のチェリスト岩崎洸の伴奏でモスクワ入りしたので、この回ももっぱらチェロ部門のコンクールに付き合うことになった。しかし、私はすでにチェロ協奏曲の作曲を心に決めていたので、チェロの演奏を数多くきくことは有益でもあった。岩崎洸も見事三位入賞を果たしたし、淑さんは特別賞を受賞した。ヴァイオリン部門では藤川真弓が二位に入賞した。審査委員としては声楽部門は前回通り関鑑子女史、チェロ部門は外山雄三氏が参加した。

コンクールのある年は、ふだんの年なら六月二十日ごろまである講義が一か月ほど早目に店じまいとなる。五月末にはコンクール参加者がモスクワにやってきて、練習にモスクワ音楽院の教室が割り当てられるからである。コンクールは、六月はじめからモスクワ音楽院の大ホールと、チャイコフスキー・ホール、それに今では使われなくなったが、シャンデリアのきれいなコロンヌイ・ホールの三つを使って、華々しくくり広げられた。テレビは毎晩、延々と実況を中継するし、新聞も写真入りで報道して雰囲気を盛りあげる。後半に近づくにつれて熱気をおびてきて、チケットの入手もなかなか困難である。おもしろいのは、こういったコンクールにも年配のおじいさんおばあさんが大勢聴きにきていて、ときには私などをつかまえて参加者の演奏についてあれこれ批評をはじめるが、その批評が的確なのである。ソビエトの音楽芸術の伝統の厚みと民衆への広がりのほどが、こんなことからもうかがえた。

モスクワ音楽院創立百年祭

一九六六年九月、音楽院の授業が始まると、外国人課に呼び出された。音楽院創立百年祭の記念行事に武蔵野音楽大学学長福井直弘氏が見えるので、その世話係を担当してくれとのこと。

モスクワ音楽院の歴史などあまり考えたことはなかったのだが、百年祭を機に創立当初の歴史を知ることができた。モスクワ音楽院は一八六六年九月二日に開校されたのだが、教授の陣容が決まり正式に発足したのは九月十七日だったらしい。ちょうどその数か月前にレニングラード音楽院を卒業したばかりのチャイコフスキーも、このとき作曲科の教授として就任している。レニングラード音楽院はモスクワ音楽院より四年早く、一八六二年に作曲家アントン・ルビンシュテインが学長となって開校しており、モスクワ音楽院は、アントンの弟で作曲家・ピアニストのニコライ・ルビンシュテインが学長に就任している。

ところで、世話係となった私の初仕事は福井氏の出迎えであった。福井氏いよいよ到着という日に、ドモジェードボ空港に出迎えに行ったら、なんと作曲家のカバレフスキー夫妻も出迎えに見えていた。ところが待てど暮らせど福井氏は現われない。おなかがすいてきたので、サンドイッチ——といってもロシアのは刻んだパンの上にチーズやサラミをのせただけのカナッペ風オープンサンド——とコーヒーでも、というカバレフスキー氏の提案で、近くの立食のテーブルで軽食をとった。カバレフスキー夫妻は、日本で国際音楽教育会議が開かれたとき、福井さんにお世話になったのだそうである。

だいたいドモジェードボ空港は国内線用の空港だから、ここに着くとは思えないのだが、音楽院では間違いないと念をおされていた。それにしてもあまりに時間がたちすぎたので、カバレフスキー氏が音楽院に電話してみると、別の空港からもうすでにホテル入りをしているという。まったくとんだ出迎えとなってしまった。おかげでカバレフスキー氏の車で送っていただき、親しく言葉をかわすことはできたが——。

福井氏には別にドイツ語の通訳がついていたので、世話係としての私に大した仕事はなかったが、モスクワ音楽院学長スヴェシニコフとの面接には私もついていった。福井氏が日本からのおみやげとしておくった楽器の琵琶には象がんがほどこしてあって、その見事さが、いやに頭にこびりついている。他には作曲家同盟のレストランで、ハチャトゥリヤンと福井氏と三人で会い、私が下手なロシア語で通訳したことぐらいが私の仕事であった。

創立百年祭については、ハチャトゥリヤンのすばらしいエッセイを第六章にとりあげたので、それをお読みいただきたい。

イタリア旅行

一九六八年の夏が近づくころ、ヨーロッパ旅行をしてみようと計画を立てた。日本へ帰ったらめったなことでは訪れる機会はないと思えたからである。その計画をハチャトゥリヤンに話すと彼は次のように語った。

——旅に出かけて新しい世界に触れることは作曲家にとってとても大切だ。私はイタリアに出かけ、ローマのコロセウムを見て、その感動からバレエ《スパルタクス》の構想が生まれた。

私はイタリア行きを選んだ。まず、オペラの発生の地であるイタリアで本場のオペラを観たいこと、数年前モスクワで会ったカサドとカサド夫人(原智恵子)から、フローレンスに来たらぜひ寄るようにと言われていたこと、そしてたくさんの絵や彫刻に触れ、何よりもイタリアの自然や古い街を見たいと思った。

調べてみて驚いたのだが、ローマ行きの国際列車が出ていたのである。ソビエトの車掌の乗った列車がローマまで乗り入れ、しかもありがたいことにルーブルで往復の切符が買えるのだ。そ

カサド氏と原智恵子さん

のころ『ソビエト婦人』社でときどきロシア歌曲の詩を日本語に訳して、一曲五十ルーブルという割のいいアルバイトをしていたし、ヴァイオリンと弦楽のための《ポエム》の買い上げが決まって、五百ルーブルだったか入ったので、ルーブルの手持ちはこと足りた。

楽しい旅だった。国際列車による初めての旅、国がかわるたびに車窓のながめが一変し、車内レストランもその国のメニューに変わる。一人旅の不安もあったが、同時に気ままさもあった。この旅の思い出はとてもここには書ききれない。

ただ、いまだに忘れられない出会いがあった。フローレンス駅についたとき、さてどのようにしてカサド氏の家をさがしたらよいか、そうだ電話帳で調べてみようと思いつき、電話ボックスまでいくと、そこで日本の女性が同じように、カサド、カサド…と言いながら電話帳をめくっているではないか。なんとそれが岩崎淑さんで、彼女もカサド宅を訪問するところだという。偶然とは言いながらも、日本を遠く離れた異国の地で同じ目的をもった日本人が出会うことのまか不思議を痛感したものである。いっしょにカサド宅を訪問。

すでにそのころカサド氏は亡くなっていたが、快く迎えてくれたカサド夫人原智恵子さんの説明で、生前のカサド氏の面影をありありとしのぶことができた。クラリネットを柱にして、バッハの楽譜をシェード（かさ）にしたカサド氏考案の電気スタンド、落ちついた書棚と写真、昔と同じように置かれたチェロなど、カサド氏の温厚な人柄を思い起こすに十分な住まいであった。モスクワで初めてお会いしたときカサド氏が私に語った言葉、――日本にはまだよいチェロ協奏曲がないから、ぜひあなたがそれを書くことを希望します――を思い起こして、卒業作品にはぜひチェロ協奏曲を作曲しようと心に決めた。

翌々日、カサド夫人のはからいで、少し北上した小さな古都ヴェローナに出かけた。そこのコロセウムで夏のバカンス・シーズンに四十五日間にわたって開かれているオペラを見にいこうというわけである。ヴェローナという街は、シェイクスピアの有名な悲劇『ロミオとジュリエット』の舞台になった街で、ロミオとジュリエットが住んでいたという家もあり、静かなたたずまいの小さな街だった。

古代ローマ時代のコロセウム（古代の陸上競技場）は街の中心部にあり、その大競技場が夏の間オペラ劇場に早がわりする。三万人を収容するこの競技場の一端に、壮大な舞台が造られていた。出しものはヴェルディの《トロヴァトーレ》である。たそがれてしだいに空が黒ずんでゆき、星がまたたき始めるころ、コロセウムの三方を囲んでそそり立つ観客席のいたるところに、あたかも幻想の世界にいざなうように、無数のろうそくの光がきらめき始めたのである。ろうそくはもちろん観客が手にしている。それを合図にオペラは始まった。三万の観客はざわめきひとつたてない。あとで聞いたのだが、オペラの始まる時刻になるとこの競技場の周囲二キロメートルにわたって車の乗り入れが禁止されるのだという。

天井もないその大会場で、あの有名な鍛冶屋の合唱が見事に響きわたった。ソリストたちの声も、迫力をもって立派に響いている。オーケストラは控え目だった。そして日本で言えばチャンバラ物といった貴族とジプシーたちの闘いの場面など、壮大な舞台の高所から駆けおり、走りまわるという大活劇なのだ。私は言いしれぬ感動に酔っていた。

休憩になると、売り子がビールを売りにくる。観客はビールをかたむけながら、たった今聴いたばかりの歌手たちの歌いっぷりに議論の花を咲かせる。インテリもいれば労働者風の者もいる。若者もいれば老人もいる。ふと舞台に目をやると、本物の街角のように造られた幾重にも重なってそびえる家々が、たぶん電動によるのだろうが、動いているではないか。その規模の大きなことには目をみはらざるを得なかった。こんなオペラが四十五日間も続けられて、しかも切符の入手が困難なのだという。

オペラは夜半近くまで延々と続いた。帰途、伝統と聴衆の層の厚みに今さらのように驚きながら、オペラこそ大衆芸術であり、それを定着させなければ国民音楽の創造など夢だ、などと興奮さめやらぬ頭で考えていた。

作曲家同盟

ソビエトの音楽事情の一つとして、作曲家同盟を紹介しておこう。

作曲家同盟というのは、ソビエト音楽芸術の発展を活発化するためにつくられた、作曲家と音楽評論家による創造的分野の統一組織である。一九三二年にそれまでいくつかに分かれていた作曲家の組織を統一してモスクワ作曲家同盟ができ、しだいに地方組織、共和国の組織もつくられ、一九四八年に第一回全ソ作曲家大会で〝全ソ作曲家同盟〟の統一組織ができあがった。

現在作曲家同盟の支部は、ロシア共和国に三十、ウクライナ共和国には七つ、リトアニア共和国に二つ、そのほかの共和国は一つずつ、と全部で約五十五の支部に分かれている。作曲家・音楽評論家の数は約二千五百人。特筆しておきたいのは、クラシックのジャンルだけでなく、いわゆるポピュラー系の作曲家もこの組織に含まれていることである。というより、ソビエトの作曲家はひとりで両方のジャンルをこなす場合が多い。

モスクワ音楽院からほど近い、ハチャトゥリヤンも住んでいた九階建ての大アパートの一、

二、三階が〝全ソ作曲家の家〟と呼ばれ、そこに全ソ作曲家同盟、ロシア共和国作曲家同盟、モスクワ作曲家同盟の三つの事務所がある。そこには数百名を収容するコンサート・ホール、大小集会室、レストランなどもある。若い作曲家の作品演奏会がよく開かれていて、私の作品もこのホールで演奏されたことがある。またよくここのレストランで食事をしたものである。さらに隣の建物には、作曲家同盟が発行している雑誌『ソビエト音楽』の編集局もある。

この作曲家同盟は、日本の作曲家の組織と比べると非常に力をもった組織といえるのだが、それは「全ソ音楽基金」という組織が、この同盟の事業活動の財政を支えているからである。「全ソ音楽基金」には、ロシア・ソビエト音楽の全作品の出版（レコードを含む）・演奏・放送料の約二パーセントが自動的に蓄えられていく。その基金は、民謡採集のための旅行費用、新しい作品を書くために必要な材料（五線紙など）、作曲家を囲む会の費用（コンサートや対談など）、新作の宣伝費用などにあてられる。

作曲家同盟は現在ソビエト全体に七つの「創造の家」をもっているが、その建設資金も音楽基金から出ている。

そのほか、『ソビエト作曲家』という名の楽譜出版社や楽譜販売店、音楽家専用の診療所なども作曲家同盟の管轄下にあり、それらがすべて「音楽基金」と連動して活動を支えているのだから、力をもった組織という意味がおわかりいただけると思う。

このほか、書きあげた作品の演奏権を文化省やラジオが買い上げるという作曲家にとっては有難いシステムもとられていた。その例を私の体験を含めてお伝えしよう。まず、作曲家は新しい作品を書きあげると、文化省とラジオ・テレビ局に設けられた音楽著作審査委員会に申し出る。審査は生演奏で行われる。オーケストラ曲は二台のピアノで弾かれる。審査に通ると演奏や放送が約束され、しかもその際の作曲家の経済負担は不要である。そして私の記憶するところでは、次のような金額が支払われる。オペラがいちばん高額で三千五百ルーブル（百四十万円）、交響曲が二千五百ルーブル（百万円）といったぐあいで、楽曲の種類や演奏時間によって増減する。また作曲家の実績に応じて三つのグレードに分かれている。私が《五つの日本のわらべうた》を審査に提出したとき、四百五十ルーブル（十八万円）を受けとった経験がある。

演奏や放送によってその作品の実績が認められると、楽譜出版とさらにはレコード制作の対象となる。それぞれに審査委員会があり、審査の結果、同様の金額が支払われる。たとえば、すぐれた交響曲一曲に対して、三つの審査を経て合計三百万円が作曲家に支払われる。私の先ほどの曲は、楽譜も出版され、やはり同額を受け取った。合計九百ルーブル（三十六万円）を受け取ったわけである。九百ルーブルという金額は、モスクワでは学生だと十か月から一年間生活できる金額であった。

その後、モノ・オペラ《ヒロシマ》、ピアノ組曲《日本の素描》、チェロ協奏曲が出版され、それぞれ相応の金額の支払いを受けている。

とにかく、作曲家の組織が二つの雑誌社と楽譜出版社をもち、そこで作曲家や音楽評論家たちが働いていることは、作曲家の生活の保障、音楽の宣伝普及に大きく貢献しているといえる。

モノ・オペラ《ヒロシマ》の構想と作曲

モスクワ音楽院は五年制である。最終学年には一年がかりで卒業作品を書いて提出しなければならない。卒業作品としてモノ・オペラ《ヒロシマ》の構想が浮かんだのは、留学四年目だった。モスクワ音楽院に留学した日本人として、何か記念になるような作品を残しておきたいという考えからだった。とすると、人類史上かつてなかった原爆という大量殺りく兵器の洗礼を被った「ヒロシマ」こそ、日本人として、日本の作曲家として避けて通ることのできないテーマであると思うようになった。

それに私には「ヒロシマ」についての忘れえない思い出がある。原爆投下の十日後の昭和二十年八月十六日に、おそらくまだかなり放射能も残っていただろう広島に四時間滞在し、街を歩きまわりこの目でその惨状を直視するという、今となっては貴重な体験を余儀なくさせられたからである。

敗戦の翌日、私はその当時入学していた高等商船学校をあとにして、静岡県清水市から郷里宮崎への帰途についた。車窓から見た街々はことごとく無惨な姿をさらしていた。

しかし、いく台かの列車を乗り次いで、あの忘れえぬ街「ヒロシマ」にたどりついたとき、私のまぶたに映ったものはまったく想像を絶する姿だった。

そのころ原爆という言葉はまだなく「新型爆弾」と呼ばれていた。その新型爆弾が広島に落とされたということは新聞などを通して知っていたが、私の目に飛び込んできた広島の街の異様さは、まさに酸鼻《さんび》を極めていた。

駅の建物さえなにひとつ残っていない一面の焼野原に汽車が止まり、四時間くらい発車しないというので、友人たちと駅の近辺を歩きまわろうとした。私たちが見たのは、手もほどこされず放置され、苦悩に顔をゆがめ、体をねじらせた異様な黒こげの無数の焼死体だった。それは一切が破壊しつくされ、すっかり見とおせる遠くの焼けただれた山肌の赤黒い不気味さとともに、私が生きている限り忘れることのできない刻印となって脳裡に焼きつけられている。

このような体験は、その後の長い教師生活のなかで子どもたちに伝えてきたし、原水爆禁止運動参加の原動力となっていた。しかし、この貴重な体験を作品として結晶させることこそ、作曲家を志す者としての課題であると思えた。それにしてもあまりに大きな強烈なテーマで、作品としてどこから手をつけどのように結晶させていったらよいのか、はじめは五里霧中だった。

そうこうするうちに、ようやく手がかりがつかめはじめてきた。私の作品を何度か歌ってもらったソプラノ歌手・平田恭子さんが、広島出身だというのである。「原爆の図」の作者丸木位里・俊夫妻のめいにあたり、ヒロシマに深い因縁をもった平田恭子さんが主人公として歌える作品――それは、ヒロシマの母親を主人公とした作品だと思った。モノ・オペラとは、主人公が一人のオペラである。

しばらくして、委嘱した詩人の門倉訣さんから「ヒロシマの母と娘の歌」と題する長編詩が送られてきた。それをもとに全楽章を以下のように再構成した。

詩の終わりに近く、次のような祈りの言葉があった。

「こどもたちが泣きながら
かあさん　かあさんと
やけあとをさがしまわらなくても
よいように」
「あおい空と　風と　光を
小さなむねいっぱいに　すえるよう
いつもあかるく　生きていけるよう」

これを祈りの言葉として、序奏の冒頭と終楽章（第五章）の最後に対置させた。序奏では、母親一人の祈りを、終楽章では広島に集まった平和を願う全世界の人々の祈りへと発展させることにした。

序奏はこの祈りのあと、ヒロシマのシンボルとしての川のテーマを混声合唱と母親のソロで歌いあげる。

第二楽章ははじめ次の章と対比させる意味で静かな間奏曲として書いたが、後になって広島地方の手まり歌を足して、無心に遊ぶ子どもたちの描写を加えてある。

第三楽章は原爆投下後のヒロシマの地獄絵である。中間部に中国地方の子もり歌の断片をオーケストラが演奏する。これは原詩の二、三章にあたる。

音楽的な構想から、第四楽章は原爆で子どもを失った母親の悲しみと明日への決意を歌った子もり歌、第五楽章は日本太鼓にあわせてヒロシマに集まってくる平和を願う人々の姿、そして最後に全員による祈りと平和の鐘のひびきで全体をしめくくりたいと思って、改作を詩人に頼んだが、日本を遠く離れたモスクワのこともあって、結局、私のつたない詩で仕上げなければならなかった。

作曲の過程で、焼けただれ水を求めてさまよう人々の群れが私のまぶたに浮かぶ思いであったし、今ではこの作品はオペラ・バレエ作品として、パントマイム・モダンバレエ・民族舞踊を加えて上演したいものだと考えている。

こうして私はモノ・オペラ《ヒロシマ》を卒業作品として書きあげることができたが、試験の前にハチャトゥリヤンに呼び出されて、思いがけない知らせを受けることになった。ハチャトゥリヤンはこう尋ねた。

——私はグネーシン中等音楽専門学校で四年、モスクワ音楽院で五年間作曲を学んで、第一交響曲を作曲した。私の体験から言うと、専門的な作曲技法をマスターするのに最低七年間は必要だ。モスクワ音楽院であと二年間学んだ方がよいと思うのだが、どうだ？

私はこの五年間でかなり作品は書いたし、モノ・オペラ《ヒロシマ》も力作ではあるが、まだ快心の作とは言えないし、何しろすっかりモスクワ生活が気に入っていたので、喜んで勉学を続けたい旨を申し出た。

卒業試験では平田恭子さんにソロ・パートを歌ってもらい、ピアノ伴奏が四手になる部分では、当時音楽院の講師をしていたハチャトゥリヤンの高弟エシュパイに手伝っていただいた。試験の講評をハチャトゥリヤンからうかがったが、カバレフスキーが高く評価したとのことだった。

こうして、私はさらに二年間留学を継続することになった。

ハチャトゥリヤンの助手ハガゴルチャン

留学当初ハチャトゥリヤンの助手を務めていたエドアールド・ハガゴルチャンは、私にとってもう一人の教師であった。ハチャトゥリヤンの要請で、まず私は書きあげた作品をハガゴルチャンに見てもらって、不十分なところがあれば手直ししてから、ハチャトゥリヤンのレッスンに提出するという形がとられた。

ハガゴルチャンはやはりアルメニア人で、アルメニア共和国のエレヴァン音楽院を卒業したあと、モスクワ音楽院の大学院時代にハチャトゥリヤンに師事している。ピアノ五重奏曲が全ソ青年作曲コンクールに入賞して、若手ながら注目されていた。

ハチャトゥリアンの助手ハガゴルチャン

人がらはきわめて温厚で思いやりがあり、すぐれた教師でもあった。日本にいたころには、まだ歌や合唱曲しか作曲した経験がなかった私にとって、初めて器楽作品を作曲するうえで、彼の助言は大いに役立った。

その後、ハガゴルチャンはモスクワ作曲家同盟副議長などの要職について、ハチャトゥリヤンの助手の仕事を離れたが、私たちの関係はそのまま続いた。彼はいつでも私のよい指導者であり、協力者であった。

私は、一九八二年の第七回チャイコフスキ

ー国際コンクールの客員としてモスクワを訪れたとき、ソビエト国家賞候補にあげられているハガゴルチャンの第四交響曲を聴いた。弦楽器群とピアノ、ハープによる鐘を思わせるような響きをバックに、高音域のクラリネットが民族的なイントネーションで即興的な演奏をくりひろげる。それはアルメニアに伝えられるムガームの旋法からできている。それがしばらく続いたあとで、突如として金管群の力強いぶ厚い音がそれをさえぎる。このように始まるハガゴルチャンの第四交響曲は、民族性と現代性がたくみに統一されたすばらしい作品であると思えた。

彼のオペラ《耳飾りのついた帽子》は、国立モスクワ児童音楽劇場がすでに百回を越す上演を重ねている。ハガゴルチャンは筆が速く、すでに九十を越す映画音楽も書いていた。

将来を嘱望されていたハガゴルチャンが、今年（一九八三年）初めに、五十二歳の若さで亡くなったのは残念である。心から冥福をお祈りしたい。

モスクワ音楽院で師事した教授たち

私は専門の作曲のほかにもかなりたくさんの教科を受講しなければならなかった。

まず第一に「ロシア語」。モスクワ音楽院では毎年コンスタントに七十名ほどの外国人が学んでいるので、ロシア語の教授陣容は整っている。私はちょうど同じころ留学したソプラノの平田恭子さんといっしょにロシア語を学ぶことになった。講師はジナイーダ・アレクサンドローヴナ女史。はじめてのレッスンからロシア語だけで話しかけてくる。日本で文法の初歩をかじっていたのだが、ひとことも聴きとることができないのには閉口した。不思議なもので、回を重ねるたびに少しずつ単語が聴きとれるようになる。半年もすると、どうやら日常の簡単な会話はこと足りるようになった。初めのうち週四回、そのうち週三回のレッスンが二年半つづいて、ひと通りのロシア語を習得した。

「ピアノ」は音楽用語で通じてしまうので、留学と同時にレッスンが始まった。ミリチア・シュテルン教授は温厚誠実な方で、七年間学んだが作曲に追われて不熱心な私の腕前は、たいして上達しなかった。モスクワ音楽院の評価は五点法であった。私の場合、作曲をはじめとしてほとんどの教科で五の評価をいただけたが、ピアノはずっと四点、あとロシア音楽史にも四の評価がついた。それでも七年間に数多くの作品を手がけたこと、それにシュテルン教授と連弾でシンフォニーを初見演奏できたことも、楽しい思い出である。

カレン・ハチャトゥリヤン　管弦楽法を師事

「ロシア・ソビエト音楽史」は三人の日本人で受講することになった。ひとりは平田恭子さんであるが、もう一人はかなり以前からモスクワに住み、モスクワ・ラジオでも働いていた河崎美智子さん。彼女が合唱指揮科を受講することになって、その結果、三人の日本人クラスができあがったというわけである。そのうえ有り難いことに河崎さんはロシア語が達者で、通訳の役目を果たしてもらった。こうして、タチアナ・ヒョードロワ教授を囲む日本人クラスの楽しいレッスンが二年間つづいた。スコアをみながら、日本では一度も聞いたことのないたくさんのロシア・ソビエト音楽を聴くことができた。ロシア音楽史が国民的オペラ創造の歴史であることを知りえたのもこのときである。

「ソルフェージュ」(聴音書き取りと視唱)はロシア語をほとんど必要としないので、作曲・理論科の学生にまじって受講してみた。ところが、聴音書き取りの課題は一見バッハを思わせるような対位法的な作品で、四声がそれぞれ多様な動きをみせる。しかも途中でたびたび転調する。十六小節か二十四小節くらいのそういった課題を、担当の教官が速いテンポであっさり弾いてのける。そして、一定時間をおいて同じように五、六回弾いただろうか。日本でまったく訓練を受けたことのない私は、ようやく半分くらい書き取るのが精いっぱい。お恥ずかしいことながら、まず個人指導を受けることになった。こんなことは私ひとりかと思ったら、地方の共和国から入学してきた学生も、私と同じ運命をたどっていたことがわかってひと安心した。視唱はドイツ音名ではなく、ドレミの固定ド法。「ラ」を「リャ」と発音するのがなにかほほえましかった。

「和声」（ハーモニー）、それが終わると「対位法」（ポリフォニー）を受講することになるが、これもソビエトの学生が受講する普通クラスでは、ロシア語のハンディがあって講義についてゆけないので、マメドヴェーコフ教授による個人指導というぜいたくなレッスンを受ける光栄に浴した。和声はI・ドゥーボフスキー、S・エフセーエフ、I・スポソービン、V・ソコロフの四人の共著によるぶ厚い教科書を使って、一年半、課題を書いた。日本の音楽大学のように、和声だけの世界で理論を展開するのと違って、西欧古典派からロシア・ソビエトの作曲家の楽曲の範例がふんだんに引用してあって、そういった実作品と結びつけて学べたのは、有益であった。

対位法で使った教科書は、S・グリゴリエフとT・ミュッレルの共著によるもので、これは厳格対位法とバッハ以後の自由対位法を実作を引用しながら、理論的に解きあかした良書であると私には思えた。時間が許せるなら、ぜひ日本語に翻訳して紹介したい教科書である。この教科書にしたがって解説を受けながら、厳格対位法の書法で七曲、自由対位法では二声、三声、四声のフーガ、二重フーガを十曲ほど書きあげた。出題されたテーマを使って二重フーガを書きあげる最後の試験では、現在もモスクワ音楽院で教えている対位法の教科書の著者ミュッレル自身が、私の作品を講評してくれた。

「世界音楽史」は四、五年目だったので、作曲を専攻しているロシア人学生七名といっしょに、どうやら受講できる程度にロシア語が上達していた。まだ若い講師で残念ながら名前を失念してしまったが、ピアノも達者でよく範例を見事に弾いてくれた。シェーンベルクのいくつかの作品や、ベルクのオペラ《ヴォツェック》なども、スコアをみながら聴くことができた。

「スコア・リーディング」(総譜奏法)と「オーケストレーション」(管弦楽法)は、アラム・ハチャトゥリヤンのおいのカレン・ハチャトゥリヤン教授に師事することになった。カレン・ハチャトゥリヤンは、アラム・ハチャトゥリヤンの長兄でモスクワ芸術劇場のすぐれた演出家だったスーレン・ハチャトゥリヤンの息子である。カレンは、シェバリン、ショスタコーヴィチ、ミャスコフスキーに師事して、一九四九年にモスクワ音楽院を卒業した。二つの交響曲、シンフォニエッタ、三つの序曲など作品も多いが、一九七五年に書いたバレエ《チポリーノ》でソビエト国家賞を受賞している。全ソ作曲家同盟の幹部会委員、『ソビエト音楽』全ソ宣伝局の芸術主任でもある。彼はショスタコーヴィチ、ストラヴィンスキーを尊敬していて、アラム・ハチャトゥリヤンとはまったく作風を異にしていた。明るく情熱的な人がらもあって、レッスンは楽しかった。

このほか、「アナリーゼ」(楽曲分析)、「音楽理論」(音楽理論史)、「教育法」(ソルフェージュ、ハーモニー、音楽史)、「美術史」、「体育」があったが割愛する。

忙しい夏
――そしてイワノボの「創造の家」へ――

ハチャトゥリヤン教授の好意で二年間留学期間を延長することになったのだから、その二年間を充実させてすばらしい作品を書きあげたかった。それにはチェロの巨匠カサド氏との出会いのときから、秘かに心にくすぶり始めていたチェロ協奏曲の作曲を完成させることだと決心した。

ところが一年目は書きあげたばかりのモノ・オペラ《ヒロシマ》の出版の話が、かつてハチャトゥリヤンの助手だったハガゴルチャンの助力でまとまり、不十分な部分の改訂やオーケストレーションに追われてしまった。そのほかにもいくつかのロマンスを作曲したり、プロコフィエフの《ピーターと狼》のような音楽物語を書いてみたいと思いたって、「一寸法師」を素材に作曲しはじめたりしたが、これは未完のまま残されている。そうこうするうちにまたたくまに一年目は過ぎ、また夏がやってきた。

夏がまた特に忙しかった。六月には私にとって二度目のチャイコフスキー国際コンクールが始まって、懐しい岩崎淑・岩崎洸姉弟がモスクワへやってきた。審査委員としては関鑑子女史、外山雄三氏が出席、前述したようにこの年も日本勢が活躍した。コンクール特有の熱っぽい雰囲気のうちに、またもやまたたく間に一か月が飛び去っていった。

コンクールが終わったと思うと、今度は七月にモスクワで初めてＩＳＭＥ《イスメ》（音楽教育国際会議）が開かれて、世界中から音楽教育者、児童合唱団、ジュニア・オーケストラなどが大挙して訪れた。日本からは、モスクワ音楽院創立百年祭で知りあった武蔵野音楽大学学長の福井直弘氏をはじめとして、たくさんの音楽教育者たちと笹倉強氏の指導する城北高校合唱団がやってきて、その応対におおわらわであった。おびただしい数のコンサートが開かれ、世界第一級の子どもの演奏に接することができたのは、実に大きな収穫であった。城北高校男声合唱団の演奏もすばらしかった。

その夏は、こんなぐあいに何人ものなつかしい人々に会えた。日本を遠く離れた異国で、先輩や友人に会えるときほどうれしく、心強いことはない。七年の間には、ずいぶん大勢の人がモスクワを訪れた。作曲家の石井歓さんは、自作のバレエ《まりも》がモスクワで上演されたとき、ちょうどレッスンの時間にハチャトゥリヤンを訪ねてみえた。作曲家同盟の招待でモスクワにやってきた高田三郎氏や安部幸明氏とも会うことができた。

あるとき、モスクワ音楽院の学長スヴェシニコフ（モスクワ・アカデミー合唱団の指揮者として、たびたび来日している）に呼び出され、めったに入ることのできない学長室におずおずと入ってみると、なんと芥川也寸志さんが見えていて、久しぶりになつかしい日本の話などお聞きすることができた。

岩城宏之氏がモスクワ放送管弦楽団の指揮でみえたときには、シャンデリアのきらめくコロンヌイ・ホールでコンサートを聴き、そのあと私の家で夜遅くまで貴重な思い出話をうかがった。こんな体験もモスクワならではのことなのかもしれない。

いちばんおもしろい思い出は、いずみたく氏と永六輔氏とが訪ねてきたときのことだ。いずみたく氏とは、うたごえ運動華やかなりしころ、お互いに作曲家を夢みていたかけだし時代からの友人である。彼がいきなり電話してきて、

「モスクワにもトルコ風呂があるだろうね。案内してくれないか？」

という。私はまだ一度も出かけたことがないので、半信半疑でロシアの友人に聞いてみると、いざあるという返事。とりあえず二人に私の家まで来てもらって杯をあげ、久闊を叙したのち、いざモスクワのトルコ風呂へと出かけることにした。大きな浴場であった。ちょっとしたプールほどもある広い湯舟があり、石の階段を登ると、大勢が入れるサウナ風呂もあった。マッサージ室もあったのだが、もんでくれたのはおじいさんであった。実はこれが、本格的なトルコ風の浴場なのだそうだ。

「やはりモスクワのトルコは健全だね！」

と、だれからともなく感嘆と嘆息まじりのことばが出た。

さて八月になると、ハチャトゥリヤン教授の西ベルリンでの自作自演の演奏会へ私も初めて同行の栄を負った。

ハチャトゥリヤンのほか、ニーナ・マカーロワ夫人、息子のカレン、めいのナターシャ、コンサートのソリストとして、ピアニストのペトロフ、チェリストのゲオルギヤン、それに私とにぎやかだった。カラヤン・ホールでの二夜にわたるコンサートでは、ハチャトゥリヤンの指揮のもと、ペトロフはピアノのためのコンチェルト・ラプソディーを、ゲオルギヤンはチェロのためのコンチェルト・ラプソディーを弾いてかっさいをあびた。コンサートの合い間に、ハチャトゥリヤンを取り囲みながら買物をかねて街を散策したのも楽しい思い出である。そんなときのハチャトゥリヤンは上気嫌で、よくジョークを飛ばしてみんなを笑わせた。

西ベルリンで別れて、私ひとり東ベルリンからワルシャワに飛んだ。当時ワルシャワ留学中の田村進氏のはからいで、ポーランド音楽祭〝ワルシャワの秋〟に招待されていたのである。モスクワの音楽界とはまったく異なった前衛的な雰囲気にとまどいを覚えながら、同時に、手つかずになっているチェロ協奏曲の構想を暖めつつ、モスクワへ急いだ。

話はさかのぼるのだが、田村進さんと奥さんの慧《けい》子さんはかつてワルシャワへ出かける途次、ちょうどタイミングよく、ハチャトゥリヤンのレッスンのときにモスクワ音楽院を訪ねてきた。そのときのおもしろいスナップ写真がある。ロシアでは「すばらしい」というとき、親指をまっすぐに立てるしぐさをする。田村さんがハチャトゥリヤンに、

「寺原くんの勉強ぶりはどうですか？」

と尋ねたら、
――オーチン　ハラショー（とてもすばらしい）
と言いながら、太い指をまっすぐに立ててみせたポーズがなつかしい。

「すばらしい」とハチャトゥリヤン

最終学年に一年がかりで書きあげる卒業作品の良し悪しは、卒業生にとって決定的な意義をもっている。たとえば、ショスタコーヴィチもハチャトゥリヤンも、とくに卒業作品にすぐれた第一交響曲を書いて注目されている。私はとても両巨匠のような鬼才はもちあわせていないが、やはり七年にわたる留学の成果を結晶させるに足る、これは、という卒業作品を書かなければ、ハチャトゥリヤン教授の御厚意にこたえることも、日本で待っていてくれる先輩や友人たちに会わせる顔もない、と決意のホゾをかためてとりかかった。

いざとりかかってみると、器楽のための協奏曲は初めての経験なので、なかなか思うように書けない。そこでハチャトゥリヤン教授にお願いして、その低迷をふっき

「創造の家」《イワノボ》

る意味からも、かねがね一度は出かけてみたいと思っていた「創造の家」《イワノボ》に出かけ、作曲に没頭することになった。

モスクワから西北へ四百キロ、一晩汽車にゆられて、翌朝小さな町イワノボの駅に着くと、マイクロ・バスが迎えに来ていて、十キロほど離れた郊外へと運んでくれた。白樺の林に囲まれて静かなたたずまいをみせるバンガロー風な独立家屋が点在していて、作曲家はそれぞれその一戸を占有できる。若干大きさにちがいはあるが、私の住んだ家はいわゆる三ＤＫ。家族がたまにでかけても泊まれるようにベッドが三つ、仕事部屋にはグランド・ピアノ、ステレオ、机、ソファーなどといたれりつくせりである。食事どきになると、作曲家たちは中央に設けられた食堂に集まってくる。食後はテレビを見たり、チェスや玉突きに興じている。近くには湖があって、夏はボートこぎ、冬はスキー・スケートができる。また、図書館もあり、楽譜やレコード、テープを貸し出していて、自分の別荘へもって帰って研究に使えるようになっていた。年輩の指導者がいて、かきあげた作品やオーケストレーションについて批評や援助をしてくれるし、夜ともなればおのずからあい集まって、杯をかたむけながら音楽談議に花を咲かせるといった風景もみられた。このような「創造の家」がソビエト全体で七か所に作られている。

とにかくイワノボの「創造の家」に四十日ほどいて第一楽章をひとまず書きおえることができた。

しかし、ハチャトゥリヤン教授の要求はきびしく、和声のあまさや発展の不十分さを指摘され、結局ほとんど全面的にかき直すことにした。

カリーニンの思い出

私にはこのころ、いまひとつの忘れえぬ思い出がある。カリーニンというボルガ河の上流にそった町で、私の作品演奏会が開かれたときのことである。

この作品演奏会は、留学当初モスクワ音楽院の学生寮で同室だったヴァイオリニスト、ステパン・ミルトニヤンが提案したものだった。はじめしぶっていた私も彼の熱意に動かされた。ミルトニヤンは自分が勤めていたカリーニン音楽専門学校と市の音楽諸団体、およびソ日協会に働きかけ、その三者の協力で〝寺原伸夫作品演奏会〟を組織してくれた。

一九七一年二月一日の朝早く、私はモスクワから北西二百キロほど離れたカリーニン市にでかけた。カリーニン市の中央を流れるボルガ河はすっかり凍りついていた。しかも、この日夕刻にかけて零下四十度といぅきびしい寒波にみまわれた。零下四十度といぅ寒さは留学一年目の冬と、このときとの二回しか体験していない。この寒さのなかで聴衆が集まってくれるのだろうかといぅ私の不安をよそに、カリーニン音楽専門学校のコンサート・ホールには人々がいっぱい集まってきた。

演奏にさきだって、病気でカリーニンに来れなかったハチャトゥリヤンの演奏会によせたメッセージを、カリーニン音楽専門学校の校長チェーリナ女史が朗読してくれた。

作品演奏会は、ヴァイオリンと弦楽オーケストラのための《ポエム》で開幕された。ヴァイオリン・ソロは、この演奏会の企画者で私の親友ステパン・ミルトニヤン、弦楽オーケストラは音楽専門学校の学生たち。つづいて、ピアノ曲、歌曲集、弦楽四重奏曲がカリーニン演奏協会所属の音楽家、カリーニン音楽専門学校の教師や学生たちによって演奏された。聴衆は彼らにおしみない拍手をおくったが、ことにプログラム最後のカリーニン化学繊維コンビナート文化宮殿ピオネール合唱団の日本語によるコーラス――《わらぐつの歌》(詩・門倉訣)《鳩をとばせにいくんです》(詩・柴野民三)――は聴衆を魅了し、鳴りやまぬ拍手にアンコールが行われた。

演奏が成功裡に終わって私はステージに招きあげられ、チェーリナ学校長からこの日の記念として、ロシアのバラライカをいただき、すっかり感動していた。そして、ステージの上から心を

演奏会後，チェーリナ音楽学校長から記念のロシアバラライカをいただく

こめて、このコンサートを準備し演奏してくれた人々、この寒さをついて集まってくれた聴衆の方たちに、感謝と友情のあいさつをおくった。

この日の演奏会を支えたのは、彼らの音楽を愛する気持ちと同時に、日本への友好の熱意だったのだろうが、音楽が国境をこえ、民族のちがいをこえて人々の心を結ぶ力をもちうるのだということを、このカリーニン市の作品演奏会は私に教えてくれた。

数日後、カリーニン作品演奏会の録音テープをたずさえて、ハチャトゥリヤン宅を訪問した。このコンサートの組織者で私の友人のミルトニヤンと、作品演奏会のルポをお願いしてあった当時朝日新聞モスクワ特派員の長井康平氏もいっしょだった。長井氏はこのときの印象を「ハチャトゥリヤンの前掛け」という題でまとめている。初めて会ったのに実に的確に生き生きとハチャトゥリヤンを描いているので、長井氏の了解を得て、ご紹介させていただく。

ハチャトゥリヤンの前掛け

長井康平

寺原氏の自作曲がボルガ沿岸のカリーニン市で演奏され、それを録音したテープを寺原氏が師のハチャトゥリヤンに聴いてもらうというので、取材かたがた寺原氏といっしょに、ハチャトゥリヤンの自宅に出かけた。

モスクワのゴーリキー通りからちょっと横丁へはいった音楽家のアパートを訪ねた。チェロのロストロポーヴィチがちょうど車で、家族とどこかへ出かけようとしているところにぶつかった。五階だったと思うが、アパートの呼鈴を押すと、俳優の息子がまず顔を見せ、そのあとハチャトゥリヤンが現われた。

「ショスタコーヴィチと並ぶ、ソ連最大の現代作曲家」などといった決まり文句でいわれるハチャトゥリヤンをいかめしい人間のように想像していたが、目の前に現われた人は、およそそんな雰囲気とは縁遠かった。

ぬっとドアのかげから巨体を突き出したその胸には、えり元にはさんだ派手な色模様の小さなナプキンがぶら下がっていた。赤ん坊のよだれ掛けそっくりなのである。精かんな浅黒い顔との取り合わせがおもしろくて、吹き出しそうになった。

「今食事中なのでちょっと待ってくれないか」という。その顔はまじめで、「今作曲中だからじゃましないでくれ」というのと同じ調子だった。この人にとって食事することの意味が大きいらしいのがよくわかった。

寒い戸外でしばらく待って、食事の終わったころを見はからってあがりこむ。氏といっしょに訪日もした夫人も出迎えてくれる。そう広くないアパートの部屋の真ん中に大きなピアノがデンとすえられ、楽譜や本がいっぱいあるのが、作曲家のアパートと思わせるものだった。

よくしゃべる人だ。アルメニア人だからアルメニア語もできるかと聞けば、「全然しゃべれない」という。それも当然か。同じカフカースでも、グルジアのトビリシ（当時チフリス）生まれで、革命後二十歳前にモスクワへ出てきてしまっている。おそらく親もロシア語を使うことの方が多かったのかもしれない。

アルメニア的なものといったら、それは氏の容貌だ。目も鼻も大きく、まゆが太く、唇が厚く、全体のつくりが大きい。浅黒い髪はちぢれていて、今は白髪も多いが、元は黒髪である。若いころの写真は二枚目役者のような迫力がある。だがとにかく一見して、顔にもからだ全体にも、大ざっぱで人の好いところがありありとうかがえる。

アルバムを持ち出して、日本訪問の時や米国訪問の時の記念写真を広げながら、勢い込んで説明をする。日本を訪れるときに、「日本は私の訪問する二十五番目の国」といっていたくらいで、それも今から十一年前のことだから、今まで回った国は相当な数にのぼるだろう。米国在住のアルメニア人が集まった歓迎会の記念写真などにいちばん懐しさをこめて話をする。やはりアルメニア人の血を片時も忘れることはないのだろう。アルメニア人の米作家サローヤンとの写真にも誇らしげである。スペインやらその他ヨーロッパの王侯貴族との写真では、「これは何王女、これはなんとか公」と無邪気に、自慢げに説明を加える。

☆　☆　☆

ハチャトゥリヤンは、一九四八年の「ジダーノフ批判」の折に、他の作曲家とともに「反人民的、形式主義的」などと党からキメつけられた。しかしスターリン死後、まっ先に音楽界の〝雪どけ〟のきっかけをつくったのはハチャトゥリヤンである。五十三年十一月に『創造の大胆さとインスピレーションについて』を発表して、スターリン治世末期の迎合的作品の多かったことや、政治の芸術に対する不当な干渉を非難した。何か押さえつけてくるものに対する本能的な反発とでもいえるものだ。

「コーカサス的情熱」というようなものがあるのかどうか知らないが、話を聞いている限りでは、理屈っぽい音楽理論や文化理論などとは関係なく、無邪気に生き仕事をしている人に思える。

ひととおり話をしたところで、「いったい君は何を書くのかね。新聞記者はウソを書くからね。ちょっと聞かせてくれないかね。」——ニコリともしないで、こんな厳しい冗談をいう。一生懸命、記事の意図を説明した。納得したのかしないのか、フンフンと聞いている。

帰りぎわに、「君はわしのブロマイドがほしいだろう。どれサインしてやろう」という。こっちにはブロマイド趣味などない。別にうれしそうな顔もしないでいたら、喜ぶのが当たり前といわんばかりに、サッサと何枚か写真をとり出し、いちばんハンサムに撮れている横顔のを「これがいいだろう」といってサインしてくれた。

《Очень милому журналисту Нагай в память нашей беседы. Арам Хачатурян

19 12／II 71г. Москва》

(とってもかわいい新聞記者ナガイ　私たちの対談を記念して　アラム・ハチャトゥリヤン

一九七一年二月十二日　モスクワ　)

と書いた。милый журналист（かわいい新聞記者）とは何かよくわからないが、寺原氏のコンサートを組織した友人のミルトニヤンもいっしょで、彼がやはりブロマイドとサインとを求めると、ここにも《милому》と書いていたから、ハチャトゥリヤンの好きな単語なのだろう。

☆　☆　☆

米人ジェームズ・バクスト著『ロシア・ソヴィエト音楽史』(森田稔訳)のハチャトゥリヤンの項の最後にこう書いてある。

「ハチャトゥリヤンの音楽における音的要素と形式は、特異な性質をもっている。それは民族的ではあるが、同時に、彼の故郷コーカサスの地理的な境界をこえて拡がっているようにも思える。彼の音楽の素朴さ、明快さ、そして民謡的性格は、独特な民族的側面よりも、むしろ国際性を感じさせる。彼の音楽の感情的性格は、民謡のイディオムが多くの国々の人びとに訴える特徴を持っていることを証明している。ハチャトゥリヤンの音楽は深遠でも、哲学的でもないかもしれない。しかし、それは生活の喜びと幸福を物語っている」

私にとってこれはよく理解できる解説だ。あのバレエ《スパルタクス》の迫力とともに、ナプキンと王侯趣味と頼みもせぬブロマイドの無邪気さをもった男がハチャトゥリヤンだ。(中略)

ハチャトゥリヤンは一九〇三年生まれだから、今七十一歳。しかしあの姿、ふるまい、話の内容、ウィット、無邪気さ、俗っぽさ……すべてを合わせてみても、とても〝老人〟の部類にはいる人ではないと思う。

(「現代ロシア語」一九七四年四月号より)

卒業作品チェロ協奏曲完成

さて、卒業作品のチェロ協奏曲第一楽章を全面的に書き直して、チェリストに音を出してもらったのが三月の初め。弾きづらいところがあって、その手直しに三月いっぱいまでかかってしまった。まったく第一楽章には手こずった。しかし摸索の苦しみを重ねるなかで、ふと道が開けてくる。探求が深まるほどに作品はひかりを増してくるのである。

第一楽章を書きあげるなかで、協奏曲全体の構想もおおよそかたまってきた。私は人間の肉声にいちばん近い、しかも渋味をもったチェロの音とそれを裏づけるオーケストラの音によって、美しいと同時にきびしい自然のなかで生活を築きあげてきた日本民族の気風を歌いあげてみたいと考えた。第一楽章ではそのたくましさ、繊細さ、抒情性、そしてその激しさをうたったといえるだろう。第二楽章では苦悩の道程、そして深い悲しみを表現したいと思った。第二楽章は一か月あまりで、案外一息に書きあげることができた。この楽章は、モスクワ滞在中に遭った母の死の思い出にもつながっている。

こうして第三楽章を残すだけになった。卒業試験まであと一か月たらず。いよいよ追いこみである。第三楽章では喜びを志向する心の躍動を描こうと思った。それは喜びそのものではなく、それを目ざす心のかっとうというべきかもしれない。そして最後の部分で、チェロが力づよい決意をソロでうたいあげて全楽章をしめくくることにした。

書きあげたのは六月六日ちょうどハチャトゥリヤン教授六十七歳の誕生日だった。私は毎年招待を受けていたが、この日も朝から電話があった。夕方お祝いに出かけ、乾杯だけするとすぐにとんで帰って作曲に取りかかった。まだ第三楽章の三分の一しか書いていなかったのだが、着手すると楽想が次々とわいてきて、書きとるのがもどかしい感じであった。ハチャトゥリヤンが自分の作曲について、

——私は作曲するときには恍惚の状態にある。聞こえてくるものだけを書くのだ。

と語っているが、その夜私もそのような状態にあった。これがいわゆるインスピレーションというものかもしれない。一定の時間をおいてさめた目で見ても、そのときの出来は納得のいくものであるし自然である。どうしてそのような奇跡が起こったのか、今もって不可解である。

第一楽章に三か月、いや「創造の家」での四十日を加えると約五か月、第二楽章に二か月、そして第三楽章に一か月、しかもそのうちの三分の二は一晩で書きあげたことになる。が、結局のところ、創造は構想を練り素材を探しあて、それを心のなかで暖め、それらがしだいに熱をおびながら発酵し、芳香を放った作品に醸成されていくものであると思う。初めはゆるやかでおだやかな変化であるが、しだいに加速がつき、最後は急激な変容をとげるのかもしれない。

とにかく夜を徹して一気に書きあげることができた。手直しと楽譜の清書が試験日の前夜までかかり、書き終えたとき、モスクワの短い夏の夜はとうに明けていた。朝の四時である。久しぶ

りに見る夜明けの光ぼうは寝不足の目にいたかったが、並木の緑にも飛びかってえさをついばむハトの群れにも、一段と生気を与えていた。いくたの困難にうちかって、高峰を征服して夜明けを迎える登山家の感動は、まさにこんなものだろうと思った。私はそのひとつの頂に達するのに、一年、正しくは実に七年の歳月をついやしたのである。

卒業試験の演奏は成功だった。カザルス・コンクールで一位の若いチェリスト、イーゴリ・ガブリッシュは、短い練習期間にもかかわらずみごとに演奏してくれた。卒業の審査にあたる国家試験委員会は高く評価してくれたし、ハチャトゥリヤンは、

——最優秀のできだ。国際的なチェリストが弾くポピュラーな曲になるだろう。

と喜んでくれた。友人たちからいただいたたくさんの花束を心からの謝意をこめてハチャトゥリヤン教授にささげながら、私は八年前の師との出会いとその後の長い道を、心でかみしめていたのだった。

一九七一年六月十八日、紺色のぶ厚い表紙のついたディプロマ（卒業証書）をいただいた。チャイコフスキー記念モスクワ音楽院の全課程を修得したことと同時に、

「国家試験委員会の特別決定により
寺原伸夫に作曲の専門において

マスター・オブ・アーツ（芸術修士）の学位を授与する」

と書かれてあった。

この年の十二月初旬、ハチャトゥリヤンのサイン入りのバレエ《スパルタクス》のぶ厚いスコアをみやげに、七年間の留学生活に別れを告げた。

第三章　ハチャトゥリヤンの思い出

《仮面舞踏会》より　ワルツの自筆

レッスンをとおしてのハチャトゥリヤンの思い出を語るとすると、それだけでこの本のほとんどをうめることができるだろう。ハチャトゥリヤンは、ただ作品について忠告を与えるだけでなく、それにからめて、さまざまな出会いや経験、そこから学んだ教訓などを話してくれたからである。歩んだ人生も数奇なものであり、創造の分野も多岐にわたっていて、そのうえ世界中をかけめぐったその体験と出会いの豊富さから、語りだすとつきるところを知らなかった。

いまとなっては、なぜその言葉をテープに収めなかったかと悔やまれる。初めのころは、語学力のない私はほとんど聞き取れなかったのだから。ただ、私に語りかけるときには、私が聞き取れるようにわかりやすい言葉をえらんで、

——わかるか、ノビヨ。わかるか、ノビヨ。

と何度もくり返してくれた。ハチャトゥリヤンは私の名を「ノビヨ」と覚えてしまって、その発音は数年間つづいた。それは、私が音楽的に成長することを期待して、「伸びよ！　伸びよ！」と呼びかけているように思えたものだ。やがて、私も次第にハチャトゥリヤンのことばが聞き取れるようになった。

当時の教え子のなかでただ一人の外国人だった私にたいする思いやりは、師弟の間がらをこえていた。六月六日の誕生日には毎年のように家族の一員として招待を受けるなど、ハチャトゥリヤンその人に身近に接する機会に恵まれた。

その間、私の心に強く刻まれた思い出のいくつかを書いてみたい。

ハチャトゥリヤンが語る師ミヤスコフスキー

作曲家ミヤスコフスキーについてはあまり日本で知られていないが、二十七曲におよぶ交響曲の作曲者であり、すぐれた教育者でもあった。彼の門下から、ハチャトゥリヤン、カバレフスキー、ムラデリ、シェバリン、そのほか多くのすぐれた作曲家が育っている。

ハチャトゥリヤンはミヤスコフスキーに師事したことを誇りとしていた。私たちのレッスンが行われた同じ教室で、かってハチャトゥリヤンもミヤスコフスキーからレッスンを受けていたわけで、そのことを記念してこの教室にはミヤスコフスキーの写真が、壁にかけられていた。

ハチャトゥリヤンは話がミヤスコフスキーのことに及ぶと、姿勢を正して写真を指さしながら、尊敬の念をこめて語ったものである。

――ニコライ・ヤーコヴレヴィチ（ミヤスコフスキーの名前と父称、ソビエトでは目上の人は名前と父称で呼ぶ習わしがある）は偉大な作曲家で、同時に高い知性の持ち主だった。彼はベートーヴェンやチャイコフスキーの交響的伝統を発展させたロシアの作曲家ラフマニノフ、グラズノフ、タネーエフ、スクリャービンの立派な後継者であった。そしてもっとも大事なことは、革命前のロシア音楽と革命後のソビエト音楽に橋をかけたことである。

ミヤスコフスキーはレニングラード音楽院で、リムスキー・コルサコフやリャードフに師事し、プロコフィエフとは同輩であった。プロコフィエフは革命直後から一九三二年まで外国にいたので、革命後の複雑な音楽状況のなかでロシア音楽の伝統を正しく継承するという大役を果たしたのは、ミヤスコフスキーであった。その深い見識、謙虚でおだやかな人間的な魅力によって、彼はおのずとモスクワ音楽界の指導者としての尊敬をかち得ていたという。

——レッスンのとき、ミヤスコフスキーは多くは語らず、非常に注意深く音楽を聴いた。『ひょっとしたら私がまちがっているのかもしれないが……』と前置きしながら、何か鋭い意見を述べた。彼は私たち作曲を志す学生に、大衆に奉仕するという高潔な精神を教えてくれた。

ハチャトゥリヤンが語る師ミヤスコフスキーの回想の言葉を聞きながら私が感じたことは、ロシア・ソビエト音楽の伝統の深さということだった。グリンカに始まってチャイコフスキー、そしてロシア五人組のムソルグスキー、リムスキー・コルサコフ、その教え子のミヤスコフスキー、そのまた教え子のハチャトゥリヤンへと、先輩に対する尊敬の念を媒介としながら、音楽への情熱、民衆への愛がりっぱに受けつがれ、育てられているということに関しての驚きであった。そして、私も日本人ではあるが、このモスクワ音楽院でそのような音楽的な伝統の一端にふれる喜びを感じたのである。

いまひとつの点は、ミヤスコフスキーの『ひょっとしたら私がまちがっているのかもしれないが…』という言葉が典型的に示しているように、決して教え子を自分の型にはめ込もうとしていないことである。

ハチャトゥリヤンはこうも語っていた。

――いま私はモスクワ音楽院とグネーシン音楽教育大学で作曲を教えている。私はいつも教え子たちに、自分の見解や書法を押しつけないよう心がけている。しかし、教え子の創造に冷淡であってはならないと思う。教師は自分の教え子と同じ立場に立つことを考え、彼らにとっての権威ある相談役であるだけでなく、彼らと論争し、彼らの労作の結果に胸おどらせなければならない。そうするなかで、実際に彼らに暗示したり忠告を与えたりできるだろう。

まさにこの言葉どおりのレッスンぶりだった。

創造のみちは受難のみち

ハチャトゥリヤンはモスクワ音楽院と同時に、グネーシン音楽教育大学でも作曲を教えていた。作曲と指揮、それに作曲家同盟での仕事と多忙なハチャトゥリヤンは、モスクワ音楽院では学年に一名の割合で、五名の学生を受けもつのが精いっぱいのようだった。

さて、レッスンのとき助手ハガゴルチャンと私を含めて六人の弟子が教室で待っている。ハチャトゥリヤンが現われる。あいさつを交わし、近況を話しあったあとで、ハチャトゥリヤンは言う。

――今日はだれが最初に作品を見せるんだ？

うまく作品が書けて自信のある学生が最初の出番をかって出る。右側のいすにハチャトゥリヤン、左側に助手のハガゴルチャン。その二人にはさまれたかっこうでピアノに向かう。このクラスだけではなく、モスクワ音楽院では、作品はピアノで演奏するのが普通である。例外として、試験が近づくと演奏家を招いての演奏になるし、時折コンサートですでに演奏された作品をテープで聴くこともあった。

ハチャトゥリヤンは一度目は注意深く作品の演奏を聴く。二度目は気づいた個所で演奏を止めて、感想を述べる。そのときよく、

――私の師ミャスコフスキーは、いつもこんなとき、『ひょっとしたらまちがっているかもしれないが…』と断って語りはじめたものだ。

と言いながらいろいろと感想を述べたものである。その内容はテーマのこと、和声のこと、伴奏型のこと、楽曲の発展のこと、形式のことと作曲上のあらゆる問題にわたっていた。しかも単なる注意にとどまらず、そのことに関連したいろいろな範例、自分の体験談へと発展していく。

そして、よくこう言い足した。

――私が述べた意見をよく覚えていて、次のレッスンでぜひそれを思い出させてほしい。そうで

ないと私は一般に物覚えが良い方ではなく――音楽的な記憶力のことではない――次のレッスンで忘れて見落としてしまって、私の課題をどう果たしたか点検しないで終わりかねないから…。

ハチャトゥリヤンはよく海外演奏旅行に出かけて、一、二か月レッスンが休講になることがあった。二月もたつとだれでも記憶はあいまいになる。しかし一度ハチャトゥリヤンの耳にとまった欠陥は、もし本人が手直ししてなければ、たいてい再び同じところを指摘された。

――わかるかな…。たぶん、この部分にももっと長い挿入句がほしい気がする。あまりにも短すぎる…。

といったぐあいに。

ところがレッスンのとき、七年間でただ一度のことだが、だれも作品の準備ができていないという不幸な日があった。

ハチャトゥリヤンはつぎつぎに弟子の名前を呼びながら、ついにだれも作品の準備ができていないことがわかると、太いまゆをしかめ、大きなまなこでさとすように語りだした。

――創造のみちは受難のみちである。真に新しいものを創り出すことは、だれにとっても至難のわざなのだ。チャイコフスキーは偉大な芸術家であったが、同時に偉大な努力家でもあった。彼は『何よりも努力、努力、努力をしなければならない。たとえ天才の刻印をうたれた人間であっても、地獄にいるような苦行に耐えて努力しなければ偉大な業績はもちろん、ごく普通の成果すら期待できない』と語っている。

そして、プロコフィエフがある部分の和声を、ピアノで幾度となくあたってもどうしても見つけられず、譜面上で論理的に考えてようやくその解決を見い出したという話や、ショスタコーヴィチですら、音楽を創りだすことは極めて真剣な苦しい仕事だと、私とつねづね語り合っているといった話が続いた。プロコフィエフ、ショスタコーヴィチ、そしてハチャトゥリヤンといった天才が直面する創造の苦しみと、私らのような作曲家の卵の体験するそれは、次元が違うにしても、そういった話は大きな励ましであった。

ハチャトゥリヤンの、

――怠惰は鉄がさびるように、人間の創造性をさびつかせてしまう。書けないときはオーケストレーションに打ち込むこと。そして、コンサートに出かけて新しい音楽に接することだ。受難の苦しみに耐えて努力あるのみだ！

といった言葉は、今でも私の心のよりどころになっている。

民衆の心をうたう

あるとき、いちばん若い弟子のミンコフが十二音技法の音楽を書いてきた。ハチャトゥリヤンはその試みに対して、次のように語った。

――シェーンベルクの教義に関して言えば、それは存在の権利をもっていると思う。第一にそれが厳格なシステムをもっていること、第二にこのシステムで書かれた作品が少なからずあって、一定の聴衆の注意をひいているからである。音楽におけるすべての革新、すべての新しい発明に対する最も信頼できる批評家は、時間と聴衆である。だから、芸術分野の新しいものに対しては忍耐強く、それを学ぶことが必要だと確信している。

しかしソビエトの作曲家の課題は、音楽を通して聴衆に語りかけることである。民衆のために民衆の心を音楽に書くこと、これがわれわれの任務である。いま、私はグネーシン音楽教育大学とモスクワ音楽院で作曲を教えているが、学生たちは新しさから新しさを追いかけて、お互いに競い合っている――だれがより鋭いか、だれがより抽象

母国アルメニアの地で

的か、だれがいちばんたくさんの音をしとめるか…。そして、表情の豊かさとか、創造的な感動の豊かさといったことは思い出そうともしない。もし最初に生まれてくる音楽の萌芽が、精神を通し真の心から生まれたものでないとしたら、どうして聴衆の心にとどくことがあろうか。

また、音楽芸術の使命をどのように考えるかという質問にたいして、次のように答えている。

――人々を結びあわせること――これがどのような芸術にとっても主要な目的のひとつである。そしてもちろんこの目的は音楽芸術にもあてはまる。音楽はこのうえもなく大きな力をもっていて、人々をひきつける。だいたい音楽には言葉の障壁がない。翻訳も必要としない。音楽は自由に人々の心から心への道を見いだす。

ハチャトゥリヤンの仕事部屋――ヘミングウェイの思い出――

指揮者としての演奏旅行などでレッスン日に音楽院に出かけられないと、時折ハチャトゥリヤンは弟子たちを自宅に呼んでレッスンした。また、私が師事した七年間の後半には、ハチャトゥリヤンは病気がちで、自宅療養しているときもそうだった。

私たちは自宅でのレッスンのとき、みんな多少浮きうきした気持ちで集まったものである。ハチャトゥリヤンの応接間には、珍しい置物や人形、調度品が飾られていたし、仕事部屋（書斎）

上　ハチャトゥリヤンの自宅でのレッスン
右「どうだ美人だろう、私の母だ」

の書棚には、ハチャトゥリヤンと著名な国際人との大小さまざまなスナップ写真が無数に並べられていて、そのどれひとつをとっても、私たちの目を奪うに十分だった。また、仕事部屋の窓ぎわに置かれたグランドピアノと仕事机から、ハチャトゥリヤンの創造の秘密をのぞくような気がして、胸をときめかせたものである。

実際にその秘密の一端がのぞけたのだ。ハチャトゥリヤンの机は立ち机だった。ハチャトゥリヤンは立ったままでその机にもたれ、楽譜を書くしぐさをしながら、

――私は立ったままで書いた方が、仕事がはかどる。それでちょうど私の背の高さに合わせて作らせたのだ。

机の上面は楽譜が書きやすいようにかなり傾斜がつけられていて、手前のところは楽譜が滑り落ちないための止めがつけられていた。鍵のついた引き出しもあった。それはいかにもエネルギッシュなハチャトゥリヤンにふさわしい机だと思えた。

特製の立ち机

愛用のグランドピアノ

スタインウェイのグランド・ピアノの上には、彫刻をほどこした木製の見事な写真立てがあった。

――どうだ、美人だろう。私の母だ。

とハチャトゥリヤン。確かに言われたとおり、目鼻だちの通った美女で、アルメニア風の衣装を身につけていた。

高い天井に届くばかりの書棚は、木製の戸とガラス戸で交互にしきられていて、そのガラス戸の方には、たくさんの写真が並んでいた。それはハチャトゥリヤンの歴史と出会いを物語っていた。

家族といっしょの子ども時代、グネーシン中等音楽専門学校、モスクワ音楽院時代、プロコフィエフ、ショスタコーヴィチといっしょにとったスナップなど、その時々のハチャトゥリヤンの姿をとどめていた。それにもまして私の目を引いたのは、著名な国際人との写真である。ストラヴィンスキー、コダーイ、ミヨー、カラヤンなどの音楽家は当然としても、チャップリンや作家ヘミングウェイ、ローマ法王など、実に多彩であった。ことに大木をバックにしたヘミングウェイとのスナップは、非凡な芸術写真を思わせた。ハチャトゥリヤンは私たちに、その出会いを次のように語ってくれた。

――一九六〇年、私は自作自演のコンサートをするためにキューバに出かけた。私の妻ニーナ・マカーロワ、ヴァイオリニスト、レオニード・コーガンとその妻のヴァイオリニスト、ピアニストのギレリスもいっしょだった。ちょうど国際博覧会のソビエト館の開館にあわせてミコヤン副首相が来ていて、私たちを祝賀パーティーに招いてくれた。カストロ首相やチェ・ゲバラ副首相も見えていたが、そこに背の高いエ

大木をバックにヘミングウェイと

キューバにて　チェ・ゲバラ副首相と

ルンスト・ヘミングウェイが現われた。私は『武器よ、さらば』、『誰がために鐘は鳴る』などを愛読していて、写真を通して顔を覚えていたのですぐ見分けることができた。もっとも写真とは違った面も発見した。もじゃもじゃの白髪、白のまじった濃いあごひげ、青味をおびた鋭いひとみ、微笑、明るい顔、力と自信をもった表情を読みとることができた。

こうして現代の作家の中でいちばん愛しているひとり、ヘミングウェイと会うことができた。ヘミングウェイは私とマカーロワを自宅に招いてくれた。公園の奥深いところ、バンガロー風な質素な平家だった。ヘミングウェイは熱狂的な狩猟家で、彼がしとめたおびただしい数の鳥、ライオン、トラ、ヒョウなどのはく製が部屋を飾っていた。ヘミングウェイは狩りの思い出を夢中で話しながら、その獲物を指さした。もちろん文学の話もしたし、私の音楽についても彼は少し知っていた。

私はヘミングウェイに、どんな風に仕事をしているかを尋ねた、彼は答えた。『昼食まで書く。そのあと休息する。夕方、午前中に書いた原稿を校訂し、完成する。』私はセルゲイ・プロコフィエフの仕事の日課を思い出した。私たちはイワノボの「創造の家」で長期間いっしょに住んでいたことがあった。プロコフィエフは、朝からピアノの置いてある部屋に消える。彼は昼食までそこで作曲をする。昼食後少し休息し、そのあとで散歩し、友人と談笑し、そして夕刻から自分の部屋にこもって、午前中に作曲したものを修正し完成する。私の考えでは、この仕事のやり方は非常に能率がよい。

私の自作自演のコンサートにはヘミングウェイの妻のメリーさんが聴きに来てくれた。そして二度目の招待を受けた。こんどは昼食をともにした。ヘミングウェイは酒豪だった。酔いがまわるにつれ、彼の目は何か新たな輝きを増し、手ぶり身ぶりを加えた話しっぷりは、エネルギッシュで情熱を帯びてきた。この二度目の対談で、ヘミングウェイは完全に自分の性格、熱情的で魅惑的な性格を表わしたように思えた。

おもちゃの大好きなハチャトゥリヤン

ハチャトゥリヤンはいくつになっても童心を失わなかった。ハチャトゥリヤンの自宅でこんなことがあった。レッスンが終わったあとで、弟子たちにしばらく待てといって次の部屋へ姿を消した。しばらくして現われたハチャトゥリヤンの手には、いくつかの小箱や本がかかえられていた。

――これはとてもおもしろい本だよ。

ハチャトゥリヤンはそう言いながら弟子のひとりに手渡す。彼はその本を受けとって、開こうとした瞬間、

「ああっ！」

と叫んで両手を離してしまった。その本は私たち日本人におなじみの、開こうとすると電流の流れるしかけのマジック本なのだった。そのほか、ふたを開けるとひとつ目小僧が飛びだすものや、あれこれしかけのあるおもちゃがあって、みんなキャッキャッと言いながら大騒ぎになってしまった。

いつのまにかいなくなっていたハチャトゥリヤンが再び登場した。なんと今度はギャング風だったか、とにかくゴム製のマスクをつけて、まるで大はしゃぎする子どものように

――バン！　バン！　ババン!!

ハチャトゥリヤンの戯画
（親友のニコライ・サカロフ画）

と指でピストルを撃つまねをしながら現われた。みんなあっけにとられて逃げまわりながら、最後は大笑いになってしまった。それはめったに見ることのできない、すっかり童心にかえった無邪気なハチャトゥリヤンの姿だった。

また、夏に私が日本に帰省するときのこと、ハチャトゥリヤンから、銀座のキンタロウでおもちゃを買ってきてくれと頼まれたことがある。私はその店を知らなかったのだが、ほかならぬハチャトゥリヤンの頼みである。日本に着くとさっそく銀座に出かけてみた。三越の通り、山野楽器の並びに確かにキンタロウという店はあったのだ。ハチャトゥリヤンが銀座のおもちゃ屋を知っているとは驚きだった。

私の友人の詩人、金子静江さんのご主人はおもちゃのデザインも手がけている。ハチャトゥリヤンのために、とごっそりおもちゃをいただいて、それをモスクワへのみやげにしたこともあった。このときも、もちろんハチャトゥリヤンは大はしゃぎであった。

食卓を囲んで

誕生日のパーティー
——踊りの好きなハチャトゥリヤン——

ソビエトではすぐれた作曲家の六十、七十、八十歳といった人生の区切りの年には、祝賀記念コンサートを開いて盛大に祝う。私もショスタコーヴィチやカバレフスキーの盛大な祝賀コンサートを見ることができたが、私がモスクワに来たとき、ハチャトゥリヤンは六十一歳で、その前年に祝賀記念コンサートは済んでいたし、満七十歳のお祝いのときはすでに日本に帰っていて、残念ながらそのどちらに居合わせることができなかった。だが留学中毎年のように、六月六日の誕生日には家族の一員として、光栄にも招待を受けた。

定刻にハチャトゥリヤン宅へうかがうと、応接間の大テーブルにはすでにお祝いの前菜が並んでいる。ハチャトゥリヤン宅の料理はやはりアルメニア風に彩られていた。まず、水洗いして大皿にむぞうさに盛り上げられた野草が目をひく。野原で摘んだばかりの野草をアルメニアから取りよせたものだそうで、せりやパセリを思わせるような独特な香りをもっていた。これは後に、アルメニアのジリジャンという町の谷あいにある「創造の家」に滞在したときも、ふんだんにごちそうになった。

——こうやって食べるんだよ。

とハチャトゥリヤンはひとつかみしたその野菜を両手で二つ折りにすると、パクリと口に押しこんでムシャムシャと食べてしまった。アルメニアは山の国であまり湿度が高くない高原地帯だから、あくが強くなく、肉といっしょに食べると、やわらかくて香ばしさが口いっぱいに広がって食欲をそそる。

たしか、ファッソールという名の料理もあった。大粒のうずら豆にオリーブの葉などの香りのつよい野菜、ピーマンなどを加えて煮てあるのだが、塩味で日本と違って砂糖はまったく加えてない。ハチャトゥリヤンは、

——私はこの料理が大好きなんだ。

と、さもうまそうにほうばってみせた。これも私の口によく合った。

紙のように薄いパンもアルメニア独特なものである。広げたままのそのパンに、チーズや野菜を細長く並べて、くるくると巻きずしのように巻いて食べるのである。

アルメニアのある南コーカサス地方は、ぶどうとざくろの名産地である。アルメニア、グルジ

アでつくられるワインやコニャックはソビエトばかりでなく世界的な特級品である。そのおいしいワインやコニャックで乾杯して、誕生日の晩さん会は宴たけなわとなる。

シャシュリクという焼肉料理が出る。アルメニアでは肉をざくろの実と汁に浸しておく。その肉といっしょにトマトや大型の唐がらしを焼く。焼けたトマトは、肉にかけるとケチャップとなって風味を増す。

堂々たる体軀、エネルギッシュで多血質なハチャトゥリヤンはもちろん健啖家であった。ただ食べるだけでなく、みずからも好んで台所に立って料理の腕をふるった。

——料理はオーケストレーションみたいなものだ。

というのがハチャトゥリヤンの持論だった。家に帰ると背広をぬぎ、お好みのエプロンを胸にかけたハチャトゥリヤンが作った料理を、私は何度もごちそうになった。それに市場に出かけるのが大好きだった。ことに果物が大好きで、日本で食べた柿のおいしさを語りながら、

——もし作曲家にならなかったら、私は果物屋になったに違いない。

と言ってみんなを笑わせた。

さて、前菜・スープ・肉料理・デザートとつづいて、ほどよく酔い、たっぷりごちそうをいただいた晩さん会が終わると、大テーブルは折りたたまれ、隣りの書斎に運び込まれた。こんどは

応接間は広いダンス場に早がわりである。ハチャトゥリヤンが、

——みんなで踊ろう。

と言い出したのである。めいのひとりにとても踊りの上手な娘さんがいた。ハチャトゥリヤンの指名で彼女がまず踊りはじめた。流れてくるアルメニア民族音楽に合わせて、即興で自由に踊るのである。みんなが交替で踊る。ハチャトゥリヤンの妻マカーロワ夫人も踊りが好きだった。そして、ハチャトゥリヤン本人も最後には踊りに加わった。大きくて太り気味なのに、リズムにあった踊りっぷりは自然で流ちょうである。バレエ《ガヤネ》や《スパルタクス》の巨匠は、やはり踊りが好きで上手だったのである。

チャップリンの贈った花束

ハチャトゥリヤンがチャップリンに厚い友情を抱いていたことを知ったのは、そんなある誕生日のことだった。その日も夕刻、恩師宅へ向かった。応接間では前菜や食器やカットグラスがすでに大テーブルをにぎわし、ハチャトゥリヤンの大好きなバラの花がサイドボードを飾っていた。

ところが、よく見るとサイドボードの一角に水盤に差されたまま、すっかり枯れて、茶色に変色した花の残骸が立っている。

「これは片づけましょうか」

と、その花の方に手を差しのべた瞬間、ハチャトゥリヤンの怒気を含んだ大喝一声が響いた。

――その花に触わるな！

そしてやっと語気を押さえて、

――その花はチャップリンがモスクワに来たとき、スイスからわざわざ持ってきてくれたものだ。私は心からチャップリンを尊敬し愛している。そのあかしとして、私が死ぬまで、この花を大切に飾っておくのだ。

チャップリンとともに

書斎に飾られた写真の中にチャップリン夫妻と写したものがあることは知っていたが、チャップリンがスイスの花をもって、モスクワのハチャトゥリヤンを訪れるほどの親交があるという事実には驚いた。そして、たとえ枯れてしまっても、その花を大切にしようというハチャトゥリヤンは、チャップリンとの出会いを次のように語ってくれた。

——一九六五年の夏にスイスを訪れたとき、好運にもチャーリー・チャップリンの家を訪ねる機会に恵まれ、この魅力ある人物と彼の家族に知り合うことができた。彼は七十六歳というのに若々しく、とても身軽で、心からの暖かさを表わしていた。彼の微笑は善良そうで、ほとんどはにかんでいるかのように見えたことは忘れがたい。チャップリンは自分の映画の音楽を作曲している。おまえも知っているだろう？　当然のことながら、私はチャップリンに彼自身の作品を何か演奏してくれるように頼んだ。われらの主人公はその頼みをくり返させることを恐れるかのように、すぐさまピアノに近づいてふたをあけ、いすを引いて弾き始めた……。

「上手に弾きましたか」

——もちろん彼は音楽家でもピアニストでもないからね。しかし彼が作曲した映画音楽のメロディーはすばらしい。それにだれよりも人間を愛し、暴力者を憎み、平和を愛したチャップリン、またそれを映画で見事に描いてみせたチャップリンを、私は心から尊敬し愛している。

ハチャトゥリヤンは、水盤にかろうじて立っている枯れたチャップリンの花を見つめながら、情熱をこめて語った。

第四章　ハチャトゥリヤンの晩年と死

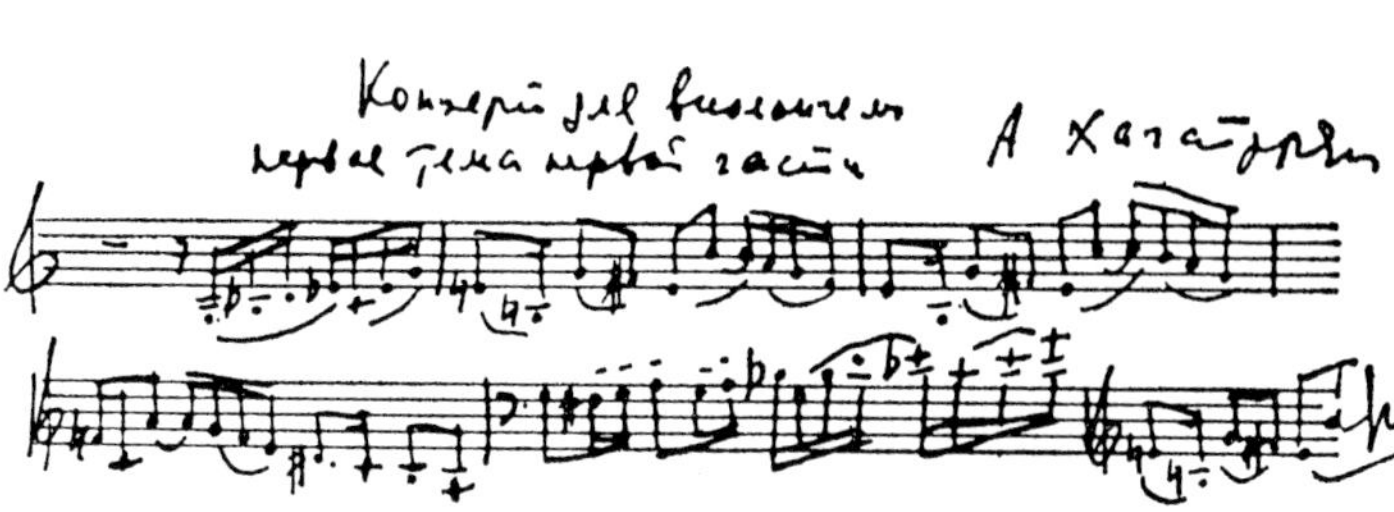

チェロ協奏曲の自筆

日本フィルの指揮者として
——幻に終わったコンサート——

モスクワを立つ前、ハチャトゥリヤンは半分冗談に、

——ノブオが日本に帰って有名な作曲家になり、やがてお金持ちになったら、私を日本に呼んでくれ。

と言った。

ところが一九七一年、私が日本に帰ってみると、出発前の東京オリンピック景気とはうってかわって日本は低成長期に入っており、それが音楽家の活動に影響を及ぼしはじめていた。私の卒業作品チェロ協奏曲が初演されることになっていた日本フィルハーモニー交響楽団のコンサートが、その矛盾を典型的に示している。初め、文化放送の〝東急ゴールデン・コンサート〟として放送される予定だったこのコンサートは、日本フィルがフジテレビ・文化放送から解雇されたことで、急拠、〝ガンバレ日フィルコンサート〟という特異なコンサート形式に切りかえて行われたのである。日本の文化的な縮図をそこに見る思いであった。

第一級の演奏団体ですらこうなのだから、かけだしの作曲家など、どうしようもない。クラシックの作曲を生活のかてとすることなどできない相談であることが、だんだんわかってきた。お金持ちになってハチャトゥリヤンを日本にお呼びすることなど、いつになってもできそうもない

ことである。

　私は、ハチャトゥリヤンを日本フィルハーモニー交響楽団の指揮者として日本に招くことを思い立った。マネージメントのジャパン・アーツと日本フィルと私の三者で何度も話し合いを重ねた結果、東京二回と横浜一回の公演を日本フィルが、そして名古屋の公演を私が組織して、その三都市で四回のコンサートを開くことが決まった。それとは別に、その年の一月他界したニーナ・マカーロワ夫人の追悼演奏会を東京で開くことになり、これも私が組織した。

　ハチャトゥリヤンからも来日を快諾する旨の連絡があり、

幻のコンサートのチラシ

特に名古屋のコンサートのプログラムでは、私の作品を指揮しようというられしい知らせが加えてあった。これは当時、名古屋にある日本福祉大学に勤めていた私を励まそうという暖かい思いやりからだった。

そこで私は、その前年に名古屋大学男声合唱団の依嘱で作曲したカンタータ《マンモス狩りは夜明けに始まる》をハチャトゥリヤンに指揮していただこうと考えた。私がモスクワに送ったテープを聴いて、ハチャトゥリヤンから次のようなメッセージが届いた。

――私は自作自演の演奏会で、近く日本を訪れることをたいへんうれしく思っております。訪日を前にして、十三年前に初めて日本を訪れたときのことを思い出さずにはいられません。日本の風土の美しさと、日本の聴衆の熱意に驚きました。

今度またそのような日本の姿、日本の音楽好きな聴衆に再び接することができ、そのうえ、たくさんの親しい友人ができるだろうと楽しみにしています。

今度、名古屋では私の教え子である寺原伸夫の作品を指揮します。おそらく彼の作品を皆さまは気に入っていただけることでしょう。なぜなら、彼はモスクワ音楽院で、すぐれたロシア・ソビエト音楽の伝統を学んだからです。

一九七六年元日の記念すべき日にあたり、心から日本の皆さまの御多幸と御健康を祈ります。

一九七六年一月一日

アラム・ハチャトゥリヤン

その知らせに、名古屋大学男声合唱団の学生たちは大喜びだった。早速、徳川義親氏を会長に、愛知・岐阜・三重三県の知事を特別顧問とする〝「ハチャトゥリヤン歓迎大音楽会」を成功させる県民市民の会〟が発足し、学生たちが手足となって準備が進められた。後援の中日新聞社の紙上などをとおして〝ハチャトゥリヤンの指揮で歌う合唱団〟を募集したところ、七百五十名という多数の応募者があり、ハチャトゥリヤンに対する人気のほどがうかがえた。

合唱団の初めての合同練習が行われた日、合唱責任者の藤井知昭氏は、

「ハチャトゥリヤン歓迎大合唱団の形態はまさに画期的である。学生合唱団を主体にし、職場や一般の合唱団・主婦の合唱団、それに個人参加の愛好家も含め、人数も前例にない数を記録した。合唱を愛する者が結束して、よりよい音楽を目ざして東海地方の合唱活動を豊かにする踏み台にしよう」

と参加者たちを激励、高須道夫氏の指揮で気迫のこもった練習が重ねられた。

それにしても、国際的な作曲家ハチャトゥリヤンと、東京からやってくる裏方を含めて百名近い日本フィルハーモニー交響楽団が二泊し、大合唱団とのリハーサルを数回行うとなると、たいへん気を遣わなければならない。膨大な出演料、宿泊費をどうひねりだすかも大きな悩みだっ

た。しかしこの大音楽会を成功させようという熱意に燃える学生・保母・主婦たちが、資金カンパや入場券の前売りに飛びまわってくれて、ハチャトゥリヤン歓迎ムードはしだいに高まってきた。事務所に早がわりした私の家には、大勢の学生たちが寝泊まりし、カンタータのオーケストレーションの手伝いに、私の友人や弟子たちがかけつけてくれた。こうして、大音楽会の準備はほぼ整い、合唱のしあげもできてきて、私はハチャトゥリヤンを出迎えるべく東京へ出かけた。

いくつかの新聞がハチャトゥリヤンの二度目の来日を報じはじめていた。NHKやTBSテレビからの取材の申し込みも飛びこんで来た。ところが…。到着の前日、一九七六年三月二十八日、がく然とするような電報が舞いこんできた。

『ハチャトゥリヤン　キュウビョウノタメ　ライニチフノウ』

予想だにしなかった事態が起こったのである。早速、モスクワに電話を入れると、じん臓手術のため入院したとの返事。万事休すである。緊急にジャパン・アーツと日本フィルと私の三者で事後処理を決めた。日本フィルは、東京公演の指揮者を外山雄三に替えて予定どおり行い、同時に希望者にはチケットの払いもどしを行った。東京の〝ハチャトゥリヤン夫妻の作品によるマカーロワ夫人追悼演奏会〟は予定どおり行った。名古屋は音楽会を中止した。それについて藤井知昭氏は中日新聞に次のように書いている。

「ほんとうに突然の知らせであった。三月二十八日、ハチャトゥリヤン氏を迎えての練習の日を目前にして合唱練習は熱気があふれ、音楽もいっそう充実したものになりつつあったときである。氏の病気、入院、そして手術という出来事は、氏の歓迎のために結集していたさまざまの領域の人々に衝撃を与えた。

とりわけ、二月以来、毎日曜日という条件を越えて東海各地から集まってきた七百人を超す合唱団は大きく揺れ動いた。懸命に練習に励んできた熱意は、別の指揮者での演奏、あるいは病気回復後の再度来日まで練習を続けるなどの声や願いとなって表明された。

しかし、ハチャトゥリヤン氏歓迎のためという基本がある以上、本筋に立ち返った判断を下さざるを得ない。三月三十一日、この名古屋音楽史上画期的な大合唱団は、発足以来の感想や意義を評価し合い、ソリストたちも混じえて最後の感動的練習後、晴れ舞台に登場することなく消えていった。

だが、このように七百余人という合唱を愛する人々が、一つの曲を練習し歌うために集まり得たことは、消し去ることができない大きく貴重な意味を持ったと考えることができる。」

名古屋の歓迎音楽会のチラシには、「生涯に一度の夢のコンサート」という見出しがあった。

「ほんとうに夢で終わったなあ！」と残念であった。

ほどなく入院中のハチャトゥリヤンからつぎのような手紙が届いた。

——親愛なノブオ！

日本に行けなかったことが私をこのうえもなく苦しめている。私が日本に行けずに、日本の聴衆それにおまえにも、とても不快な思いをかけてしまっただけでなく、日本フィルハーモニー交響楽団や歓迎県民市民の会、その他ラジオやテレビに財政的な損失をかけてしまったからだ。そのすべてを私は理解できるし、そういったすべてのことが極度に私を苦しめている。

いま私は、手術後十日目を迎えて病室で横たわっている。たいへん長い準備期間のあとで手術を受けた。まだ痛みは非常に激しいが、勇気を奮い起こして耐えている。

六月に退院できると予告された。私を日本に招待してくれた団体の皆さまに心からのあいさつとおわびの気持ちを伝えてほしい。

ロシア語とモスクワ音楽院を忘れるな!!

友情のあいさつをこめて

アラム・ハチャトゥリヤン

モスクワにハチャトゥリヤンを見舞う

――クレムリン大会宮殿劇場でみたバレエ《ガヤネ》――

秋の初め、私はモスクワにハチャトゥリヤンを訪ねた。手術した師の病状が不安でならなかったからだ。赤の広場からマルクス通りを横切って、ゴーリキー通りがはじまったはなを左へ入り、昔なつかしいハチャトゥリヤンのアパートへと急いだ。

ベルを押すと、ハチャトゥリヤンはふだん着のまま現われた。五年ぶりの再会である。ロシア式の抱擁と接吻に感激し、思ったより健康でひとまず安心した。つい先ごろ旅行した石垣島で求めたおみやげの黒真珠のネクタイピンと、この年一九七六年一月に亡くなったマカーロワ夫人のために、東京からたずさえてきたカーネーションの花束を贈り、早速、亡き夫人の写真の前に飾りつけた。「アルメニア産の最上等の品だよ」と封を切られたコニャックで乾杯したあとで、私は東京と名古屋で予定されていたハチャトゥリヤン自作自演コンサートのポスターやチラシを取り出して見せた。じっとそれを見つめていたハチャトゥリヤンは、おもむろに立ちあがると、ベルトをゆるめシャツをまくりあげて、おなかを出して見せた。

モスクワにハチャトゥリヤンを見舞う

とうとうじん臓を一つ取ったよ。

と手術のあとを指でなぞった。そして、すでにわざわざ手紙を送ってくれたのに、重ねて、オーケストラの楽員、合唱団員やコンサートを準備してくれた人たちに迷惑をかけ、どんなに心苦しく思っているかということ、元気になったらぜひもう一度日本を訪れたいと願っていることを伝えてほしいと、くり返し頼まれた。

ちょうど、アルメニア・オペラバレエ劇団がモスクワに公演にきていたので、二晩続けて恩師といっしょにクレムリンの中にある大会宮殿劇場を訪れた。初日は、アルメニアの作曲家アルチュニヤンのオペラだったが、二日目はハチャトゥリヤンの代表作バレエ《ガヤネ》の上演である。

私はかつてモスクワに七年もいながら、まだこのバレエを一度も見たことがなかった。バレエは大成功だった。六千人を収容するクレムリン大会宮殿劇場にあふれんばかりの聴衆は、終幕では熱狂的な拍手で作曲家をステージに呼びだしたし、幕間にはたくさんの人々がハチャトゥリヤンを取りまいてサインを求めた。そのなかには、外国人旅行者も大勢いた。日本人もいた。みんなが「マエストロ（巨匠）」と唱えながら集まってくる。作曲家として冥利につきると言わねばならない。しかし、それだけの力をハチャトゥリヤンの音楽はもっているのだ。

十日間のモスクワ滞在中、昼食と夕食を毎日ごちそうになった。七十二歳という齢《よわい》と、じん臓手術のあとにもかかわらず、ハチャトゥリヤンの食欲は私より盛んであった。モスクワ音楽院とグネーシン音楽教育大学との二十人近い学生たちのレッスンにも立ち会った。そしてうれしいことに、週末の別荘での生活にも同行することになった。

モスクワ郊外の別荘

ハチャトゥリヤンの別荘
——遺作となった三部作無伴奏ソナタ——

ハチャトゥリヤンの別荘は静かな森の中にあった。車が着いて入り口に降りたっても、建物は見えないほど奥まったところに建っていた。急こう配のグレーの屋根にうす緑の壁、かなり大きな二階建ての別荘だった。中央の広間にはゆったりとしたソファーが置かれ、壁にはいくつかの絵や壁かけが飾ってあった。その隣がハチャトゥリヤンの仕事部屋である。グランド・ピアノの譜面台には書きかけの楽譜があった。彼はここで日課の一定時間を作曲にあて、最近無伴奏のヴァイオリン・ソナタとチェロ・ソナタを書きあげたと語った。この無伴奏ソナタも三部作としてまとめたい考えで、次にヴィオラ・ソナタを作曲する予定だといっていたのだが一九七六年に書きあげられたヴィオラ・ソナタが、遺作になろうとは思いもよらなかった。

彼は、ハチャトゥリヤン歓迎大合唱団がうたったカンタータ《マンモス狩りは夜明けにはじまる》のテープを、ときどきタクトをとりながら聴いてくれて、二、三の作曲上の注意をしたあとで、

――ソリストも合唱団もとてもよく歌っているし深い内容をもった作品だ。もし訪日が実現したら必ず指揮をしよう。

と約束してくれた。

十日間ハチャトゥリヤンとともに過ごしたが、彼はなかなか元気で、およそ老人の部類に入る人とは思えなかった。彼は現在の心境について、

――私は生きることを愛する。私はすべての美しいもの、エネルギッシュなものを愛する。避けることのできない死が生涯の最後に訪れるまで、作曲家として私は仕事を続けたいし、やりとげた仕事がはっきりと整理されているというような人生を送りたい。

と語った。

私は明るい希望を抱いて帰国したが、二度目の日本公演は実現しなかった。

ハチャトゥリヤンとの最後の出会い

一九七七年秋、ハチャトゥリヤンの来日を知らせるモスクワからの電報を受けとった。前年の七六年に急病で来日が不能になったばかりなのに、いったいだれが招待したのだろう、と日ソ協会や音楽マネージメントに連絡をとってみたが、手掛りがつかめない。半信半疑ではあったが、予定された日時に羽田空港に出かけた。やはり間違いではなかった。ハチャトゥリヤンは喜びで顔を紅潮させながら、私を抱擁してくれた。子息のカレン夫妻とめいのナターシャがいっしょだった。自作自演のコンサートでハワイのホノルルに行く途中、乗り継ぎのため羽田に立ち寄ったという。出発まで六時間ほど時間があるというので、羽田の東急ホテルで休息することになった。久闊《きゅうかつ》を叙し近況を語りあった後、ハチャトゥリヤンは仮眠をとり、息子夫妻とめいのナターシャは、初めての日本を、せめて銀座でも見たいというので、私は三人を乗せて車で案内した。ちょうどよく晴れた日曜日で、

羽田での最後の出会い

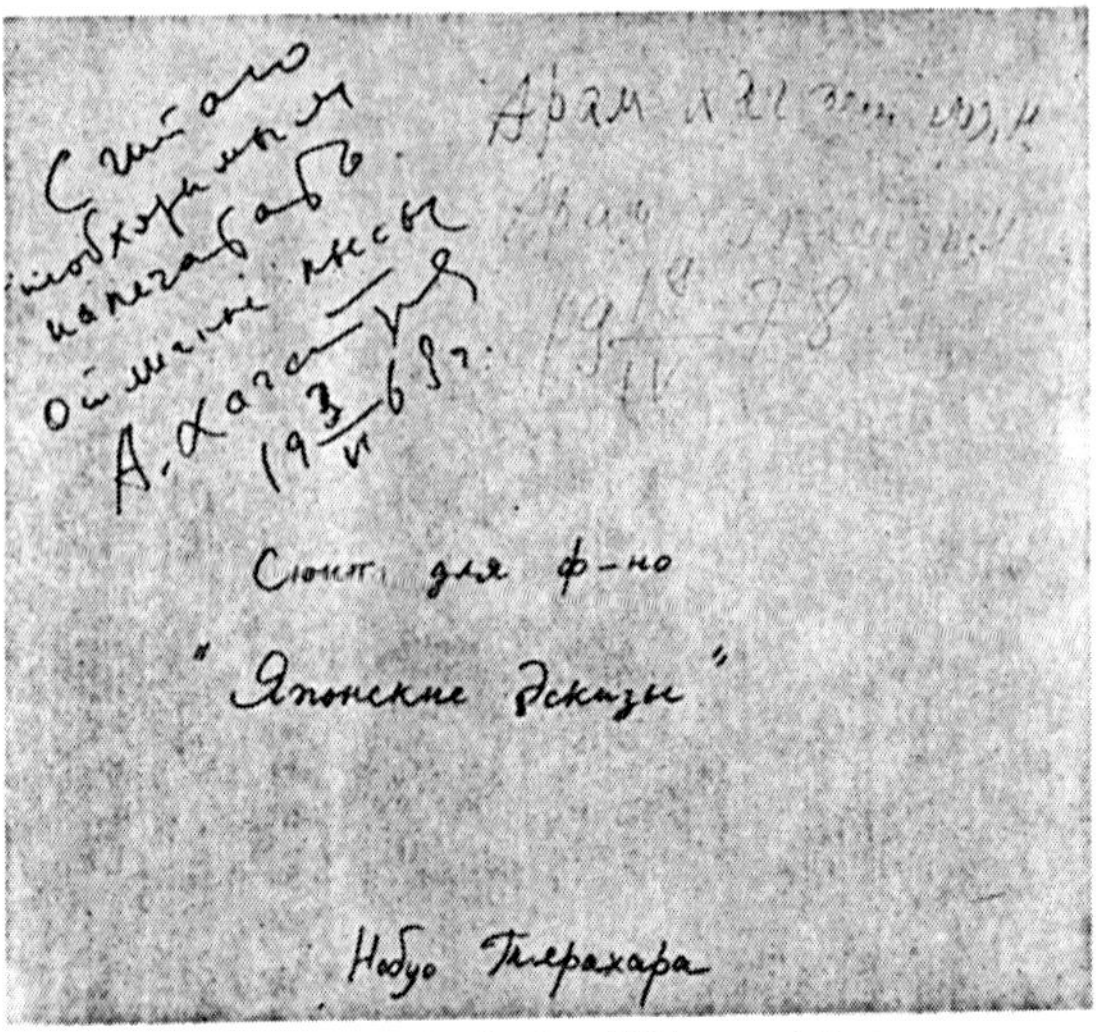

ピアノ組曲《日本の素描》へのサイン
二度目のサインは死の10日前の日付け

歩行者天国となった銀座をブラつくことができた。

こんなときの六時間は、またたくまに飛び去ってしまう。堅く抱擁を交わして別れを惜しんだが、ハチャトゥリヤンとのそれが最後の出会いになるとはまったく思っていなかったので心残りである。そのときどうしていっしょにハワイへ出かけなかったのかと悔やまれてしかたがない。ハチャトゥリヤンはハワイでの演奏のあとパリに立ち寄って、そこで発病し数か月療養している。モスクワへ帰ってから後も病床についたままで、病状は悪化する一方だったようである。

一九七八年三月に、音楽評論家シュネールソン（ハチャトゥリヤンの親しい友人で、最近、ハチャトゥリヤンとの対話集をモスクワで出版した。彼も昨年亡くなってしまった。）が、重光氏の招待で来日した。シュネールソンにハチャトゥリヤンの病状を尋ねると、あまり思わしくないと言う。シュネールソンから私の作品の楽譜を求められたので、まだ未出版のピアノ組曲《日本の素描》を手渡した。留学中に作曲したこの楽譜の表紙には、

――大変すぐれた曲である。出版に値すると思う。

一九六九年六月三日　　　　アラム・ハチャトゥリヤン

という思い出のサインがあったが、出版するチャンスのないまま私の手元におかれていた。シュネールソンはその楽譜を早速モスクワに持ち帰り、病床にあったハチャトゥリヤンに見せると、ハチャトゥリヤンは再度年月日を改めてサインし直し、楽譜はすぐさま出版される運びとなった。そのサインは一九七八年四月十九日となっている。ハチャトゥリヤンは翌月の五月一日に亡くなっているから、ちょうど死の十日前である。シュネールソンの手紙には、

「ペンを持つハチャトゥリヤンの手には力がなく、かろうじてサインをした。絶筆にならなければいいが、と案じている」

と書かれてあった。

だが、その手紙の直後、ついに悲報が伝えられた。

死——ハチャトゥリヤンの柩《ひつぎ》を囲んだ数万の市民——

師アラム・ハチャトゥリヤンの悲報を知ったのは、一九七八年五月三日の朝。モスクワに電話を入れると、五日にモスクワで告別式、六日にアルメニアの首都エレヴァンで葬儀を行うので来てほしいとのことで、四日にパスポートとビザをとって、五日朝羽田をたった。モスクワに着くと作曲家同盟からボリス氏が出迎えてくれ、すぐさまエレヴァンに飛んだ。作曲家同盟がチャーターした特別機は残念ながら二時間半ほど遅れてしまったものの、どうやら夜半近くエレヴァンに到着、六日に予定されている葬儀に間に合うことができた。二年前来日したアルメニアの作曲家アリスタケシャンらが待っていて、ともに悲しみをわかちあった。

作曲家アラム・ハチャトゥリヤンの葬儀は感動的なものであった。

五月六日、アルメニア共和国国立オペラ・バレエ劇場に安置されたハチャトゥリヤンの遺体に最後の別れを告げようと、数万の民衆が劇場前の広大な広場と、柩を埋めるパンテオン（民族音楽の祖コミタスらの眠る広大な庭園）にいたる数キロの街道の両側を埋めつくしていたからである。だれもが異様な興奮と感動に包まれていた。

これは葬儀がすんでからめいのナターシャ（二年前に亡くなったハチャトゥリヤン夫人の姉の娘で、夫人亡きあと最後までハチャトゥリヤンを助けた）に聞いた話だが、ハチャトゥリヤンは

生前、

——私が死んだら音楽家たちだけでなく、私の音楽を愛する大勢の民衆と別れのあいさつをしたいので、柩にふたをせず、街道を通って、だれもがいつでも気軽に訪れてくつろげる、青空と緑の広がった公園の木陰に埋めてほしい。

と語っていたという。音楽は民衆との対話だとつねづね語っていたハチャトゥリヤン、民族音楽の地盤からいつも離れることなく、わかりやすい音楽表現で民衆に語りかけたハチャトゥリヤン、音楽を通してだけでなく日常生活でも、機知に富みユーモアを交えて明るく人々に語りかけたハチャトゥリヤンは、亡くなったあとも大勢の人びとと会い、語りあうことを願っていたにちがいない。

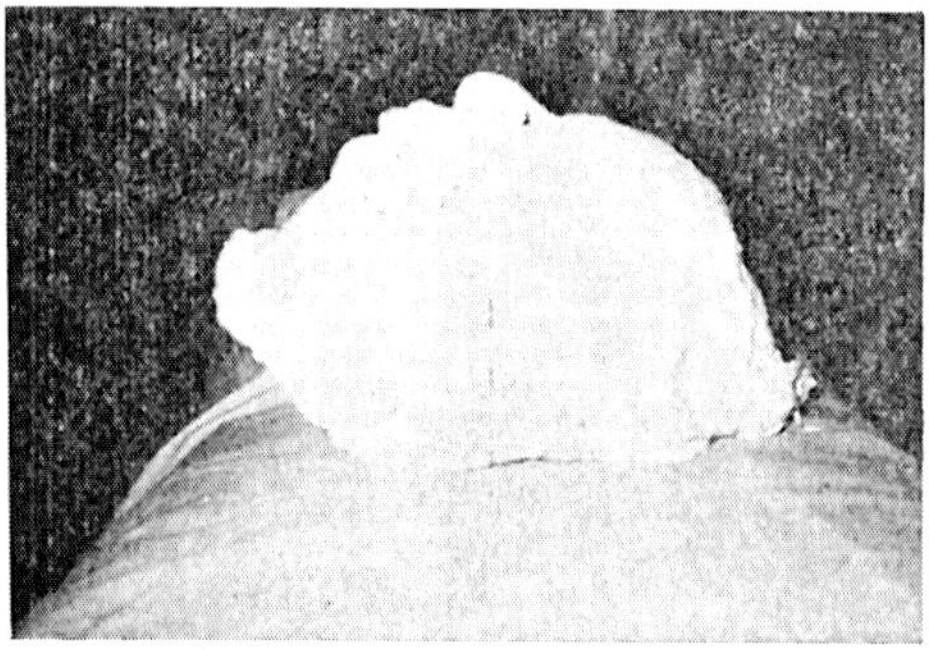

デスマスク

この遺言にしたがって、ハチャトゥリヤンの場合は民衆参加とでもいうべき葬儀の形式がとられたのである。具体的には、パリアシビリ（アルメニアの古い民族作曲家）記念の共和国国立オペラ・バレエ劇場の三階の広間に遺体が安置され、そのそばを大勢の人々がだれでも自由に通りながら、ハチャトゥリヤンと最後の別れを告げることができるように配慮されたのであ

ハチャトゥリヤンの死をいたむ民衆で埋まった

る。しかし、こういったやり方ではいったいどのくらいの人々が集まるのか、だれにも見当がつかなかったようだ。ところが驚くべきことが起こったのである。

十時すぎにオペラ劇場へでかけてみると、もう、別れを告げる人々の長い列ができかけていた。私たちは特設の入口から入って三階の広間に上がった。広間の中央に柩が安置され、ハチャトゥリヤンの遺体はたくさんの花に囲まれている。両側が低くつくられた柩なので、そばを通る人たちにも、永遠《とわ》の眠りについたハチャトゥリヤンの安らかな横顔がよくうかがえた。柩の足元には、生前に受賞したたくさんの勲章が飾られ、その手前には無数の花束が帯のように続いている。

5月6日　オペラバレエ劇場前の広場は

私も日本から持ってきた菊の花束をささげた。私の花は日本の慣習にしたがって白い菊の花であったが、飾られている花は色さまざまであった。

　十一時近くに別れを告げる人々の長い長い行列が静かに歩みはじめた。テレビの撮影もはじまる。私もインタビューを受けた。はじめ行列は、柩の右側を二列で歩いていたのが左右四列にふえて、広間はかなりごったがえしはじめた。すぐ隣りのホールで演奏するハチャトゥリヤンの音楽がドアごしにきこえたり、民族楽器奏者が遺体の枕もとで美しい調べを聞かせてくれたりする。ふと肩をつつかれてアルメニアの作曲家が指さす劇場前の広場をみると、さっきまで立ち入りが禁じられていた広場に、こんどは立すいの余地のない大群衆がひしめき合っているではないか。私は許しをうけて三階の窓をあけてもらいシャッターを切ったが、とても一、二枚のフィルムでは取り切れない膨大な群衆の姿であった。私のまわりのだれもが、みな一様に興奮し感動していた。だれも、このような人群衆が告別に参加するとは想像だにできなかったからである。

三時に柩はオペラ劇場を出て墓地に定められたパンテオンに向かったが、数キロにおよぶ街道の両側にも、群衆が待ちかまえていた。人々は花車の上の柩に横たわるハチャトゥリヤンの遺体を目にしながら、最後の別れを告げることができた。柩が劇場を出るころしめやかに降り始めた雨は、パンテオンにつくころには激しさを加えたが、みな身動きもせずハチャトゥリヤンを見送っていた。

柩がパンテオンにつくと、その激しい雨にうたれながら弔辞が読み上げられる。アルメニアの文化大臣に始まってソビエト作曲家同盟の第一書記フレンニコフ、各共和国の作曲家同盟代表数名が続き、ヴァイオリニスト、レオニード・コーガンのあとで私も壇上に立った。師ハチャトゥリヤンと別れを告げるために日本からやってきたこと、日本でも彼の音楽、ことに『剣の舞』が親しまれていること、数万の市民が参加した今日の感動的な葬儀の様子を日本に伝えたいことなど述べた。このあと諸外国を含めてたくさんの弔電が披露され、子息たちが別れのキスや抱擁をおくると、柩はここで初めてふたをされ、近くの木のそばに掘られた穴に埋められ、土をかけ、その上を無数の花ばなで飾り、こうして感動的な葬儀は終わった。

ハチャトゥリヤンは音楽を通して民衆とともに歩き、民衆とともに語りあえる豊かな天稟《てんぴん》に恵まれていた。私はハチャトゥリヤンに師事してからの十五年間と、最後の別れの日の感動的なでき̀ご̀と̀を通して、その音楽と人間の偉大さを改めて強く心に焼きつけることができた。葬儀に参列した数万の市民の心には、民族の音楽を土台にして、それを国際的な音楽にまで高めた、いわばアルメニアにとっては民族的な英雄の死出を送る特別な民族感情がその底にあることは間違いないにしても、彼の音楽がはば広い民衆の心に心底からとどいていた何よりのあかしではないだろうか。

心から師アラム・ハチャトゥリヤンの冥福を祈りたい。

第五章 ハチャトゥリヤンの音楽

ピアノソナタの自筆

ハチャトゥリヤンの音楽の特性

ハチャトゥリヤンの音楽の特性について語るとき、まず第一に指摘しなければならないことは、その民族性である。ハチャトゥリヤンの創造の源泉は、自分の祖国アルメニアの民謡であり、南コーカサス地方の音楽遺産であった。しかし、ハチャトゥリヤンにとってそれは民謡を引用したり、編曲したりすることを意味するものではない。

――なかには私を民謡編曲者と思いこんでいる人に出会うが、私は二、三の例を除いて民謡を原形のまま利用することはない。民族的なイントネーションやリズムをもとにして、創造の過程で変形し再創造する。幼いころに私を包んでいた民族的な音楽の形式、イントネーションやリズムが、ちょうど〝母乳〟のように私の心や体にしみ込んでいるのだ。作曲家にとって大切なことは、母国の民族音楽を自分の血や肉とすることだ。

とハチャトゥリヤンは語っている。

また、ハチャトゥリヤンがグネーシン音楽専門学校やモスクワ音楽院で長年にわたって研さんを積み、古今の数多くの作品に触れたことが、彼の作品の幅を広げている。例えば、音階や調性もありきたりな民族音楽のせまいわくにとどまってはいない。留学中ハチャトゥリヤンが私に、日本の音階について尋ねたことがあった。私がいくつかの音階があるが、基本としては五音音階だと答えると、

――アルメニアの音階も五音音階だ。しかしその五音だけを使っていては、すぐれた作品は書けない。十二の音、全部を使うことだ。

とさとされたことがあった。ハチャトゥリヤンの作曲するメロディーは、鮮かで民族的な性格をもっているが、決して民族音階のわくにしばられていないし、さまざまな調性へゆれ動く。低い音が半音階風に下がるのもその特徴のひとつである。なかには、『剣の舞』の中間部で現われる、例のサキソフォーンが歌うメロディーのように、従来の音階や調性では解釈できないものさえある。和音もまたありきたりではない。七度や二度の不協和音も好んで使っている。このようにハチャトゥリヤンの音楽では、アルメニアの民族的即興性とロシアの交響性が見事に統一されている。

民族音楽を自分の血や肉とし、その後で、長い間クラシック音楽の形式や法則を学んだハチャトゥリヤンが、どのようにして独創的な世界を開いていったか、次の言葉はそれを物語ってくれる。

――私はヨーロッパやロシア・ソビエトの、古典から現代に至る数多くの作曲家の作品を研究し、形式や法則を学んだが、決して自分の民族的な地盤から離れなかった。民族音楽に固有のイントネーションやリズムを、自分の芸術的知覚のプリズムをとおして受け入れ、なにかまったく新しい、つまりこれまでまったく知られていなかった合金をつくり出そうとした。

こうして〝ハチャトゥリヤン風な〟様式と文体ができあがる。ショスタコーヴィチは、そのことについて次のように述べている。

「ハチャトゥリヤンの音楽は、最も偉大な才能だけに表われるもうひとつの重要な性質をもっている。それは創造的な書法の独自性であり、二つとはない独特なスタイルである。実際に、彼の手になるどんな作品でも、数小節きいただけですぐにそれと聴き分けることができる」

そのような独自なスタイルは、ハチャトゥリヤンのオーケストレーションにも表われている。

「現代ソビエト作曲家の中で、ハチャトゥリヤンのように現代的手法のオーケストレーションに堪能な者はいない」

とショスタコーヴィチはつけ加える。ハチャトゥリヤンは、豊かで独自な色彩をもっている。華やかでダイナミックである。明るい色調のうえに、時折、原色でアクセントが加えられ、全体を一段と浮きたたせる。ハチャトゥリヤンは、トランペットやサキソフォーンなどに旋律や対旋律を実に効果的に吹かせている。低音部でのバス・クラリネットも好んで使う。スコアをみると、よく考えてあるというよりも、すべてがハチャトゥリヤンの耳に前もって響いていて、彼はそれを書きとっただけだと思えてくる。

このことに関連して、ハチャトゥリヤンは自分自身の創造の秘密とでもいうべき貴重な言葉を私に語ってくれた。

――私はだいたい非常に情的な人間である。作品には、私の気質や気分がたいへん強く影響する。私は作品をつくりあげるのではない。作曲するのだ。耐えぬくのだ。

　私にとって作曲をすることは祈るようなものだ。

　ハチャトゥリヤンは頭で書かれた音楽が大嫌いだった。音楽は心からあふれ出てくるものだ、というのがハチャトゥリヤンの持論だった。

　また、七歳でリズムの魔力にひかれたハチャトゥリヤンの音楽は、その根源の一つがリズムであることを指摘しておく必要がある。ボリショイ劇場総監督で首席バレエ・マスターのユーリー・グリゴローヴィチは、

「ハチャトゥリヤンの音楽は、最もバレエ的であり、踊りやすく、すばやい速さでさまざまなリズム感を生み出し、そして、心の動きを暗示し、明確に表現してくれる。これはまれにみる才能、いいかえると演劇性に富んだ、リズム感あふれる音楽をつくることのできる能力である」

と語っている。

　こうして、あるがままに写しだされたハチャトゥリヤンの音楽は、彼の心とともにゆれ動き、絶えず流れ出て、あるときは激しくエネルギッシュにほとばしり、あるときは高らかに生の喜びを歌う。「生きることを愛し、美しいもの、すばらしいもの、ダイナミックなもの、エネルギッシュなものを愛する」という、楽天的で健康で人生肯定の彼の性格を投影する。いまだかつて知

られなかった南コーカサス地方の民族音楽を素材に、みがきあげられた技巧と、まれなる天秤《てんびん》によってつくられたハチャトゥリヤンの音楽は、民族的であると同時に国際的なものとなったのである。

三部作の作品群

ハチャトゥリヤンは、さまざまなジャンルの主要な作品を三部作としてまとめている。三つの交響曲、三つの協奏曲、三つのコンチェルト・ラプソディー、三つのバレエといったぐあいである。晩年の無伴奏ソナタも三部作である。偶然にしてはあまりにもそろいすぎている。生前その「三つぞろい」の意味についてうかがおうと思いながら果たせなかった。特別な意味はなくても、何かおもしろい答えがきけただろうという気がする。

ここでは第一章「生いたち」で述べた以降に作曲された主要な作品について、年代順にとりあげてみたい。

〈第二交響曲〉

第二次世界大戦中、ソビエトの作曲家たちは音楽を通してファシズムと闘った。ショスタコーヴィチはドイツ軍に囲まれたレニングラードで第七交響曲を書いたし、プロコフィエフはトルストイの大作《戦争と平和》をオペラ作品として書いた。ハチャトゥリヤンはバレエ《ガヤネ》のあとで、さらに第二交響曲《鐘》を作曲している。

一九四二年十二月、ウラル地方のペルム市でのバレエ《ガヤネ》の初演がすむと、ハチャトゥリヤンは家族とともにモスクワに帰ってきた。第二交響曲の作曲に着手するためである。しかし、作曲家同盟組織委員会のたくさんの仕事が待ちうけていた。そのほかに国際文化交流協会の音楽部副議長も引き受ける必要があった。議長はモスクワ音楽院時代の恩師ミャスコフスキー、三人の副議長は彼のほかにプロコフィエフとショスタコーヴィチであった。

そんなわけで、ハチャトゥリヤンが第二交響曲の作曲に取りかかることができたのは、一九四三年も半ばになってからだった。交響曲の内容、理念は明白であったし、標題作品とも言えるような構想もできあがっていた。

一九四三年六月三十日に第一楽章をピアノ譜の形で書きあげ、第二楽章のアンダンテを四日、第三楽章のスケルツォを六日、第四楽章のフィナーレを七日で書きあげている。九月七日にハチャトゥリヤンは交響曲のピアノスケッチに終止符をうち、十一月末にスコアを書きあげた。

――作曲しながら、私は現代に生きているわが国民の精神と感情を音楽で描こうと努力した。

第二交響曲は、怒りのレクイエムであり、戦争と侵略にたいする抗議のレクイエムである。とハチャトゥリヤンは語っている。

指揮者のボリス・ハイキンは回想している。「一九四三年のある日、私はモスクワに急いで出かけることになったのだが、ドイツ軍の侵略が始まっていて入れなかった。

私が呼ばれたのは、ハチャトゥリヤンの第二交響曲が国家賞に選ばれたことについて、芸術委員会の議長ミハイル・フラプチェンコの要請によるものだった。私は公開演奏会と国家賞委員会で、この新しい作品を特別に演奏するように依頼された。もちろん、それはきわめて興味深い仕事であった」

一九四三年十二月三十日、ハチャトゥリヤンの第二交響曲はボリス・ハイキンの指揮する全ソ国立交響楽団によって初演された。

初演のあとで、ハチャトゥリヤンは第二楽章と第三楽章を入れかえ、第四楽章フィナーレの前に葬送行進曲のあるアンダンテをもってきている。そのほか、若干の手直しをした形で、一九四四年三月六日、こんどはガウクの指揮で演奏された。

音楽評論家G・フーボンは第二交響曲を分析して、作曲者であるハチャトゥリヤンの賛意をえたうえで、交響曲《鐘》と名づけた。

第三楽章アンダンテについて、ハチャトゥリヤンは次のように語っている。

——第三楽章で私はレクイエムを書こうと思った。私は、母が子どものころ私に歌ってきかせてくれたアルメニア民謡《狩人の歌》をテーマとして用いた。母はたいてい、その悲しげなメロディーを静かに歌った。歌いながら涙を浮かべることもあった。

葬送行進曲風なゆっくりとしたリズムのうえに、その悲しげなメロディーが人間の嘆きの言葉を思わせるように流れる。これは戦争の悲劇的な犠牲者にささげるレクイエムである。

第四楽章は祝典的なファンファーレで始まる。勝利を予感させるような民衆的な祝典の風景を描いて見せる。コーダで現われる鐘のモチーフは、第一楽章のような警鐘としてではなく、勝利をつげる鐘として響きわたる。

ところで興味深い事実がある。ハチャトゥリヤンが第二交響曲を作曲したのは、イワノボの「創造の家」であるが、ちょうど同じ時期にショスタコーヴィチもここに来ていて第八交響曲を書きあげている。

イワノボの「創造の家」は、私がチェロ協奏曲の作曲にとりかかるとき、ハチャトゥリヤンのとりはからいで訪れたことがあり、私にとっても思い出の地である。

このソビエトの両巨匠は、新作を公開する前にお互いに見せ、批評しあっていたようである。このときもそのようすを、ハチャトゥリヤンは次のように語っている。

——ある日、ドミトリー・ショスタコーヴィチが、書きあげたばかりの第八交響曲を聴かせるために、ニーナ・マカーロワとシュネールソン（音楽評論家）と私を自分の仕事部屋に招いた。ショスタコーヴィチが弾いてくれた第八交響曲の印象は永久に忘れないだろう。私には大祖国戦争（第二次世界大戦でドイツ軍がソビエトに侵入したときの戦いを、ソビエトではこう呼んでいる）についての世界的な芸術作品の最高峰のひとつであると思えた。

ところで、ショスタコーヴィチはハチャトゥリヤンの第二交響曲について、次のように語る。

「ハチャトゥリヤンにとって、第二交響曲は、悲劇的な源泉がきわめて高揚した最初の作品といえるだろう。しかし固有の悲劇的な本質を考えに入れなければ、この作品は心底から楽天的であり、私たちの正しい仕事、私たちの勝利にたいする深い確信にあふれている」

こうしてハチャトゥリヤンの第二交響曲は、ショスタコーヴィチの第七・第八、プロコフィエフの第五・第六、オネゲルの第二・第三の各交響曲、ストラヴィンスキーの三楽章の交響曲、バルトークのオーケストラのための協奏曲、ブリテンの《戦争レクイエム》などと並んで、二十世紀の反戦音楽の代表作となった。

〈三つのコンサート用アリアとチェロ協奏曲〉

一九四五年五月、待ちにまった勝利の日がやってきた。戦争は終わったのである。だが破壊は酸鼻をきわめていた。千七百十に及ぶ街と七万の村が、そして四万四千に及ぶ劇場やクラブが、ファシストの手で破壊された。しかし、復興のテンポも速かった。そして芸術の分野でも、平和な新しい花が開こうとしていた。

ハチャトゥリヤンは、戦争中の一九四四年から考えていたソプラノとオーケストラのための三つのコンサート用アリアを四六年に書きあげる。これは、ハチャトゥリヤンの声楽作品として最も大きな作品で、オペラ創造への願いがこめられていた。

同じ一九四六年に、チェロ協奏曲を並行して書きあげて、ピアノ、ヴァイオリンとともに協奏曲の三部作が完成する。十一月、モスクワにおいてチェロ協奏曲はクヌシェヴィツキーのチェロで初演された。その年の末、一夜のコンサートで三部作の協奏曲が、ピアノはオボーリン、ヴァイオリンはオイストラフ、チェロはクヌシェヴィツキーによって演奏された。

〈第三交響曲〉

第二次世界大戦が終わるとまもなく、一九四七年の十月革命三十周年にむけて、ハチャトゥリヤンは《シンフォニー・ポエム》の作曲にとりかかる。

——革命三十周年にむけて私は衷心から何か偉大で祝典的でありふれていない作品を書きたいと思った。私は偉大で力強い祖国に対する喜びと誇りの気持ちを描こうと心にかけた。

その結果、オルガンと十五本の特設トランペットを加えた三管編成の大オーケストラによる《シンフォニー・ポエム》ができあがった。

ところがこの作品は、当時の個人崇拝とつながった官僚体制の干渉の結果、形式主義のレッテルをはられ、長い間コンサートのプログラムから姿を消すという運命をたどった。その後一九六三年になって、第三交響曲と改め、再び取りあげられるようになった。

留学中、私は何度かこの第三交響曲を聴いたが、いかにもエネルギッシュな性格のハチャトゥリヤンにふさわしいダイナミズムの極致といえる作品に思えた。十五本のトランペットが吹きならす和音群は勝利のファンファーレであり、中間部で弦楽器群が朗々と歌いあげる旋律も、ハチャトゥリヤン特有の鮮明な旋律で、形式主義とはまったく無縁なものに私には思えた。

〈バレエ《スパルタクス》〉

三作目のバレエは英雄的な舞踊劇《スパルタクス》である。一九五〇年六月九日の日付けで、ハチャトゥリヤンは未来の《スパルタクス》のスコアの第一ページに次のように書いている。

——大きな創造的興奮の接近を感じながら。Ａ・Ｉ・ハチャトゥリヤン

それに続けて、

——自己に打ち勝て！　一九五〇年七月九日　日曜日　記念すべき事業の日

と書き加えてある。そして三年後、今度はスコアの最後のページに、

——夏、気持ちよく仕事がはかどった。《スパルタクス》の全般的な作曲は八か月で終わった。

一九五四年二月二十二日終了。音楽全部をルーザの「創造の家」で書いた。

※19　22／II　54　A・ハチャトゥリヤン

と書いている。

（※この年月日の書き方を彼はいつも好んで使っていた。）

古代ローマ時代にさかのぼる《スパルタクス》のテーマを選んだことについて、ハチャトゥリヤンはこういっている。

――若干の人たちは、私のこのテーマの選択に驚いたり、〝古代の奥所への逃避〟だと非難したりしている。しかし私には古代ローマにおけるスパルタクスの奴隷蜂起のテーマは、現代においても大きな意義と社会的影響をもっていると思われる。現在も抑圧された民族のすべてが、自己の独立のために闘っている。植民地主義が決定的に崩壊している現在において、かつて人類史の黎明期に自己の自由と独立のために、抑圧者に抵抗して勇敢に闘ったものがいたことを人々が知り、理解することは重要なことである。

ショスタコーヴィチは次のように語っている。

「バレエ《スパルタクス》の音楽の鮮明さと見事さと多彩さは、疑いもなく興味深く、感動的である。この音楽の作曲は、才気にあふれ、その全部にわたって、ハチャトゥリヤンの鮮かな創造の独創性が刻みつけられている…」

バレエ《スパルタクス》から
スパルタクスとフリギアのデュエット

バレエ《スパルタクス》の作曲によってハチャトゥリヤンは一九五九年にレーニン賞を受賞している。

その後、バレエ《スパルタクス》はたびたび改作されて、現在はボリショイ劇場首席バレエ・マスター、グリゴローヴィチの新演出と振り付けで上演されている。そのためにハチャトゥリヤンは音楽を新しく編曲した。この新演出はすぐれたもので、グリゴローヴィチはそれによってレーニン賞を受賞し、当時モスクワでは四、五倍のプレミアムがついて入場券が奪い合われるほどの爆発的な人気を呼んでいた。パリ公演でも、センセーショナルな評判を呼び起こした。

私はモスクワで、三度このバレエを見ることができたが、驚嘆というに値するほどの大きな感銘をうけた。この《スパルタクス》は、チャイコフスキーのバレエに典型的にみられる幻想性、優雅さや抒情性とはまったく対照的な、男性を主役とする勇壮な英雄史劇のバレエである。観客は第一幕から次つぎと展開される、息をのむような勇壮な踊りに目を奪われ、スパルタクスが槍ぶすまに倒れる最後の場面まで、夢中になってその劇的発展を見守らずにはいられない。しかもバレエの各場面は変化に富んでいて、ローマのきらびやかで官能的な饗宴の場、奴隷同士が目隠しされて一騎打ちを強いられ

バレエ《スパルタクス》から
スパルタクスの死

る息づまるような場（ここではディエス・イレー、死者のためのミサの読誦が使われている）、スパルタクスとフリギアの、悲劇とヒロイズムを秘めた愛のデュエット、ガルモディに対するエギナの誘惑を描くこれはまたエロチックな場、と限りないが、ハチャトゥリヤンは驚くべき手法をもちいて、見事にそれらを描きわけている。南コーカサスの民族音楽を土台にしながら、長い歳月を経て高度に彩られてきたハチャトゥリヤンの偉大な天賦と独創性によってこそ、はじめてなしえた最高の、巨大な作品であると思わずにはいられなかった。

ハチャトゥリヤンは私がモスクワ音楽院を去るに当たって、二冊に分かれたぶ厚い《スパルタクス》のスコアにサインをして贈ってくれたが、いまはなつかしい思い出となっている。

〈三部作のコンチェルト・ラプソディー〉

一九五三年の『ソビエト音楽』誌上で、ハチャトゥリヤンは次のように書いている。

——バレエ《スパルタクス》と映画《ウシャコフ海軍大将》の音楽を完成したら、四つのコンチェルト・ラプソディーの作曲に取りかかりたい。ラプソディーの第一番はピアノとオーケストラ、第二番はチェロとオーケストラ、第三番はヴァイオリンとオーケストラ、第四番はピアノ、チェロ、ヴァイオリンとオーケストラのための協奏曲である。

バレエ《スパルタクス》の完成が長びいたうえに、他の作曲にも時間をとられたり、一九五〇年から始まった指揮活動もしだいに忙しさを加えて、最初のコンチェルト・ラプソディーができあがったのは、一九六一年になった。しかも、最初に書かれたのは、ヴァイオリンのためのコンチェルト・ラプソディーであった。この曲をハチャトゥリヤンは、ヴァイオリニストのレオニード・コーガンにささげている。二番目はチェロのためのコンチェルト・ラプソディーで、チェリスト、ロストロポーヴィチにささげられた。一九六四年の初めに初演され、翌六五年にアルメニア国家賞を受賞している。

第三番目はピアノのためのコンチェルト・ラプソディーで、一九六八年モスクワで初演された。モスクワ音楽院の大ホールで開かれた初演を、幸い留学中だった私は聴くことができた。ソリストは、そのころずばぬけた才能でうわさの高かったペトロフ。堂々たる体軀の持ち主ペトロフがステージに現われると、ホールはどよめいた。コンチェルト・ラプソディーは、ピアノのソロで始まる。三オクターブ上と下で演奏される右手と

ハチャトゥリヤンの指揮でコンチェルト・ラプソディーを演奏するコーガン

左手の速いパッセージが上に下にゆれ動き、しだいに下降して動きが鈍くなって、最後に和音群を強奏する。それを合図にオーケストラの演奏が始まって、ピアノ・ソロと対話する。ハチャトゥリヤンの曲はどの曲もそうであるが、出だしが新鮮で、このピアノのソロによるパッセージを、大柄のペトロフがかがみ込むようにして実に明瞭なしんのある音で弾いたのを覚えている。ダイナミックなハチャトゥリヤンのこのコンチェルト・ラプソディーのソリストとして、ペトロフは最適任者であると思った。実際、ハチャトゥリヤンも、その後、たびたび海外の演奏旅行に彼を伴っている。とにかく、その夜の初演は大成功であった。

コンチェルト・ラプソディーは、三つともみな単一楽章である。ラプソディーの名が示すように、自由で即興的であり、ひとつの楽章の中でテンポは緩急さまざまに変化する。チェロのためのラプソディーはアンダンテ・ソステヌート・エ・ペザンテで始まるが、ピアノのためのラプソディーはアレグロ・ノン・トロッポで始まっている。しかも、ピアノの場合はソロで始まるが、チェロの方は逆にオーケストラのトゥッティで始まるといったぐあいである。チェロのためのコンチェルト・ラプソディーも、たびたび聴く機会に恵まれたが、私の好きな曲の一つである。

一九七一年、この三部作のコンチェルト・ラプソディーにたいしてソビエト国家賞が贈られた。

指揮者としてのハチャトゥリヤン

四十七歳のときから始まった指揮者としてのハチャトゥリヤンの活動は、作曲活動とともに彼の生活にとって大きな意味をもっていた。海外での演奏旅行から帰って久しぶりのレッスンで、彼は次のように語ったことがある。

——私は作曲家が指揮台に立つことは大切なことだと思っている。指揮者としてのハチャトゥリヤンが、作曲家のハチャトゥリヤンを批判する。結果として、作曲家のハチャトゥリヤンは、いろいろ学ぶことができる。それだけではない。作曲家は印象なしで生きることはできない。外国でのさまざまな人との出会い、あれこれの民族の街・建物・文化・歴史を知ることは、作曲家にとってきわめて重要なことである。私は、ローマにでかけたとき、あの巨大なコロセウムをまのあたりにして、バレエ《スパルタクス》の構想が生まれた。またそういった出会いは、ソビエトの文化を伝え、友好をうながす意味でも意義深いことで、私はこの仕事に誇りをもっている。

指揮台に立つことになったきっかけは、次のようなことだった。一九五〇年の二月、当時、科学アカデミーの総裁だったS・ヴャヴィロフから電話があって、急な話だが、その夜「学者の家」で予定されているハチャトゥリヤンのヴァイオリン協奏曲と組曲《ガヤネ》の指揮をしてみないか、と提案された。

上　指揮棒をもって
下　ストラヴィンスキーと

──すぐには私は決めかねた。しかし、魅惑的な提案でもあった。果たしてうまく振れるかどうかという不安もあったが、ともかくやってみたところ、その夜のコンサートは成功で、ヴァヴィロフとソリストのコーガンもとても喜んでくれた。私はこの日から指揮病にとりつかれてしまった。指揮棒をもってオーケストラの前に立つ自分の姿を夢にまで見た。

こうして、この夏からハチャトゥリヤンは指揮活動に情熱をもって取りくむようになる。それはソビエト国内の大小さまざまな街だけでなく、農村のコルホーズ（集団農場）、ソホーズ（国営農場）にまで及んでいるし、五十か国に及ぶ世界の諸都市での公演も含まれている。わかりやすいことばで語りかけるエネルギッシュで情熱的なハチャトゥリヤンの音楽が、作曲者自身の指揮で演奏されるとき、そのコンサートがいたるところで熱狂的な興奮を呼びおこしたことは想像にかたくない。一九六三年の日本訪問や、留学中に同行したベルリン演奏旅行でも、ハチャトゥリヤンの音楽と善良で機知に富んだ明るい人柄に対して、音楽ファンが熱狂的に歓迎していたようすを今でも思い起こすことができる。また、旅先でヘミングウェイやチャップリンなどの国際的文化人と会っていることは、すでに述べた通りである。

ハチャトゥリヤンは、自作を指揮する演奏会を誠実に入念に準備した。これも留学中のことだが、自作自演のコンサートにむけて、六日間にわたって六回ものリハーサルを指揮する根気づよい姿をみたことがある。

初来日のとき、京都市交響楽団のリハーサルに立ちあった音楽評論家森一也氏は、次のように書いている。

「ハチャトゥリヤン先生が初来日したとき、私は先生のご好意にあまえて、京都市交響楽団のリ

リハーサル風景

先生は、休憩の十分間といえどもいすにお掛けにならず、指揮台に立ったまま、ヴァイオリニストのコーガン氏と細部の打ち合わせをしたりスコアを調べたりなさっていました。

一音の誤りも許されない練習が終わってホテルに向かう自動車の中での、次のような言葉が印象的でした。

カラヤンと

↙ハーサルを四日間見学させていただきました。先生の厳格な練習ぶりは、私の胸のなかに今でも鮮明に残っています。練習中の

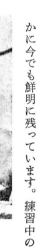

『京響の楽員たちは技術はやや未熟だが、たいへんよい心をもった人たちだ。言葉は通じなくても、私たちは音楽で話し合うことができる』

京響の最後の練習が終わったとき、先生は楽員に向かって、たいへん心暖まる感動的なあいさつをなさいました。感銘を受けた楽員の中には、顔をおおって泣いている人もいました」

このようにして、一九五〇年から始まったハチャトゥリヤンの精力的な指揮活動は、死の直前まで続けられた。ハチャトゥリヤンは楽天的で情熱的な自作の指揮を通して、全世界にソビエト音楽の健在ぶりを紹介すると同時に、その明るい人柄によって、民族友好の文化使節の役割も果たしたといえよう。

ハチャトゥリヤンの教え子たち

指揮者としての活動を始めたのと同じ一九五〇年からモスクワ音楽院とグネーシン音楽教育大学の作曲のクラスの教授となり、教育活動にもたずさわる。その教授ぶりはすでにふれたが、彼の教え子のなかで、独自な創造の道を歩んですぐれた仕事を残している作曲家として、A・エシュパイ、E・オガネシャン、L・ラプーチン、L・ソーリン、R・ボイコー、M・タリヴェルジーエフ、I・ヤクーシェンコ、A・ヴィエル（ルーマニア）、E・ハガゴルチャン、A・ルイヴィニコフ、K・ヴォルコフ、T・シャヒジらがいる。

アンドレイ・ヤーコヴレヴィチ・エシュパイは一九二五年自治共和国マリ生まれ、ロディオン・シチェドリンとともに、いまやソビエトの作曲界を担う作曲家の一人である。モスクワ音楽院の大学院時代にハチャトゥリヤンに師事し、一九六八年からは全ソ作曲家同盟書記、一九七三年からロシア共和国作曲家同盟第一書記の要職についた。私の留学時代、モスクワ音楽院の教職にもあった、一九七六年にソビエト国家賞、一九八一年には人民芸術家の称号を受けている。作品の数も多く、四つの交響曲、二つのピアノ協奏曲、二つのヴァイオリン協奏曲（そのうちの第一番は、モスクワ平和友好祭一位入賞）、そのほかオペラやバレエもあり、ことに一九七六年ボリショイ劇場が上演したバレエ《イルクーツク物語》は有名である。エドガル・セルゲーエヴィチ・オガネシャン（一九三〇年生まれ）は、アルメニアのエレヴァン音楽院を卒業後、モスクワ音楽院の大学院でハチャトゥリヤンに師事している。四つのバレエ、五つのカンタータ、交響曲、室内楽などの作曲者である（一九七六年現在）。一九五六年からアルメニア共和国作曲家同盟の副議長の要職にもある。最近、アラム・ハチャトゥリヤンの劇音楽《仮面舞踏会》をもとに、これをバレエ音楽に改作、スペンディアロフ記念エレヴァン・オペラ・バレエ劇場で上演され、評判をよんでいる。オガネシャンは、

「私はかなりスコアを書き加えているが、自分自身のテーマを一つも加えなかった。これはアラム・ハチャトゥリヤンのテーマによる自由な交響的バレエである」

グネーシン音楽教育大学の教え子たちと

と語っている。

ルーマニア人のアナトール・ヴィエル（一九二六年生まれ）は、ブカレスト音楽院を卒業後、一九五一年からモスクワ音楽院で作曲をアラム・ハチャトゥリヤンに師事、現在ブカレスト音楽院の教職にある。

ミカエル・レオノーヴィチ・タリヴェルジーエフ（一九三一年生まれ）は、グネーシン音楽教育大学でハチャトゥリヤンに師事している。タリヴェルジーエフは、映画音楽、劇場音楽、室内楽のジャンルでの作品が主体である。ヘミングウェイの詩による歌曲集や、映画音楽の主題歌は、その旋律や語り口の新鮮さで幅広いポピュラリティーをかちえている。タリヴェルジーエフは一九七一年、ロシア共和国功労芸術家の称号を受けている。

エドアールド・ハガゴルチャンは前述のとおり。

さて私といっしょにハチャトゥリヤンのクラスで学んでいた学生のひとり、アレクセイ・ルイヴィニコフは、モスクワ音楽院附属音楽シュコーラ（満六歳から十一年制の寄宿学校、卒業後は音楽院へ進む）時代に、すでにバレエ曲などを作曲して、早熟の才をうわさされており、ピアノも実に達者だった。卒業作品に交響曲を作曲、大学院終了後モスクワ音楽院でハチャトゥリヤンの助手となった。繊細な感受性と教養を身につけた彼の作品はオーソドックスで、私は共感を覚えたものである。ルイヴィニコフは現在、映画音楽をたくさん書いているとのことだ。

キリル・ヴォルコフは五人のクラスメートのなかでいちばん人のよさを持っていた。ところが作品となると一種独特な音の世界の持ち主だった。彼も大学院卒業後、グネーシン音楽教育大学で、ハチャトゥリヤンの助手を務めている。

いちばん若いマルク・ミンコフは、卒業作品にピアノ協奏曲を書き、卒業後はモスクワ・ラジオに勤務している。彼はメロディストで、大衆歌曲や子どものオペラなどの作品が多い。

いま一人のラミス・イブラギーモフは、アゼルバイジャン音楽院を卒業してモスクワ音楽院の大学院生として学んでいた。彼はヴァイオリン協奏曲を書いていたが、大学院生のため、まれにしかレッスンに現われなかった。

いま一人、ルイヴィニコフが卒業して、その代わりに入ってきたのが、タジク共和国ドゥシャンベ生まれのトリブ・シャヒジである。中国の北西部に接するタジク出身だけに、彼は完全にアジア人で私はアジア人同士の親近感を感じていた。彼の書いてくる音楽も独特であった。最近、モスクワで会ったが、すでにバレエ音楽を書いており、タジク共和国作曲家同盟の副議長をしているとのことだった。

妻・作曲家ニーナ・マカーロワ

ハチャトゥリヤンは、モスクワ音楽院在学中に同じミヤスコフスキーのクラスで学んでいたニーナ・マカーロワと結婚した。一九三三年、三十歳のときである。その幸福な出会いについてはハチャトゥリヤン自身が、創立百年祭にあたって雑誌『ソビエト婦人』に寄稿した《母校モスクワ音楽院》のなかでくわしく物語っている。

その文中にもあるように、私が留学中たびたびお会いしたニーナ夫人は、「つつましやかで、やさしい」方だった。夢みるようなまなざしがいつもきれいだった。ピアノが達者で、初めての訪日のときも、留学中にもニーナ夫人の情熱的なピアノ演奏を聴いたことがある。

ニーナ夫人は一九三八年に三楽章形式の交響曲を書いて、優秀な成績で大学院を終了、劇場や映画、室内楽のための作品をたくさん書いている。

——ニーナは稀有な心の持ち主だった。清廉に音楽を愛し、ウラノワとリヒテルを敬愛し、私よりずっと多く音楽院のコンサートに出かけ、なにひとつ見落とさぬように心がけていた。彼女の情熱は読書であり、絵画だった。私と彼女は世界中の博物館、美術館をどれほど訪れたこ

ワルシャワにあるショパンの銅像の前で

とだろう!

ニーナ夫人が家庭の中でも、音楽活動の面でも、どれほどすばらしい伴侶であったか、ハチャトゥリヤンの言葉からうかがい知ることができる。

一九七六年は、ハチャトゥリヤン家にとって不幸な年だった。三月末のハチャトゥリヤン夫妻二度目の来日を目前にしながら、一月、ニーナ夫人が他界した。

そこで、夫人をしのび、東京でニーナ夫人の追悼演奏会を開くことにして、とり急ぎ楽譜を送っていただいた。

ハチャトゥリヤンの急病で来日は中止になったが、ニーナ夫人の追悼演奏会は予定どおり、しめやかに開くことができた。ヴァイオリンのための《メロディー》(演奏　黒沼ユリ子)、チェロのための《ヴォカリーズ》(演奏　井上頼豊)など、ニーナ夫人を思わせるような美しくやさしい名曲であった。

第六章　ハチャトゥリヤンのエッセイ・対話

バレエ《スパルタクス》の自筆

この章では、ハチャトゥリヤンのエッセイと対話をご紹介したい。

エッセイは、モスクワ音楽院創立百年祭に寄せて、雑誌『ソビエト婦人』に掲載されたものである。

対話は一九七六年、病気で来日がとりやめになり、じん蔵を手術したハチャトゥリヤンを、モスクワの別荘に見舞ったときのものである。アラム・ハチャトゥリヤン研究を卒論のテーマに選んだ石沢千尋さんの依頼で、私がハチャトゥリヤンに直接インタビューしたものである。

母校モスクワ音楽院
——創立百年祭をむかえて——

モスクワ音楽院…この言葉のなかに、そこに含まれる概念のなかに——わたしの誕生が、形成が、人生がある。私はかつてここの学生であり、大学院に学んだ。いまでは教授として、作曲家、指揮者、そして単なる音楽の愛好者の一人としてここへやってくる。音楽院の入口に建っている偉大な音楽家チャイコフスキーの銅像のそばにたたずむと、私の心が私に向かって語りかける——「ここはおまえの一部なんだ。おまえの一生の一部分なんだ…」と。そして私はそこに幸

母国アルメニアのセバン湖をバックに

福があるのを感じとる。で、まえもっておことわりしておくが、私がモスクワ音楽院について語ろうとすると、いきおい、私が見たり、聞いたり、感じたりしたことになってしまう、ということである。

…それは一九二一年のことだった。トビリシの貧しい製本工の息子が、勉学のためにモスクワへやってきた。父親は教育の価値を知っていた。父親は息子のアラムが医者になることを夢みていたのだ。医者は尊敬すべき職業だ！　私も父の希望にこたえて、大学の生物学部に入った。

毎日の講義の行き帰りに、私は音楽院のそばを通った。そこではひとりでに足どりがゆるやかになった。堂々たる建物をみていると、モスクワ音楽アカデミーの名声をつくりあげ高めた人びと、ルビンシュテイン、チャイコフスキー、ラフマニノフ、スクリャービン、タネーエフ、イグムノフ、ネジダノワ、グリエールといった人たちが、頭の中に浮かんでくるのだった。

そしていま、われらが母校は創立百年を迎えた！　その歴史は、革命を境にしてほとんど二等分される。だが、音楽院の権威が飛躍的に高まったのは、あの、ソビエト政権樹立後のことだった。音楽院が民衆としっかり結びついたときから…。

私がモスクワ音楽院の中に初めて入ったのは、一九二三年のことだ。兄につれられてここの大ホールで催された交響楽のコンサートを聞きに行った。その夜、ベートーヴェンの第九交響曲と、ラフマニノフのピアノ協奏曲第二番が演奏された。わたしは非常に感動した。ラフマニノフの協奏曲を弾いたのは、モスクワ音楽院を卒業するイグムノフという学生だった。彼の演奏は創造的な気迫にみちた、すばらしいものだった。聴衆は魅惑され、陶然としてきき入っていた。ここで、このホールで聖なる行事が行われているのではないか、これは音楽会場というよりは、この世のものとも思えぬ聖なる殿堂だ…という気がした。わたしは音楽にとりつかれた。音楽をきくこと、大ホールのコンサートへ行くことが、わたしの生きがいとなった。夢ははるかかなたをかけめぐった。私は作曲家になる夢を見、そして、わたしの作品がここで、まさにこの音楽院の大ホールで演奏されることを夢みていた。
ちょうどそのころ、音楽院に労働者のための学級が開設された。名だたる教授が講義をし、個人指導を行った。ここで学ぶ学生たちのなんと情熱的であったことか！　すばらしい芸術の世界に入っていった彼ら…。どれほどの喜びを味わったことか！

わたしは労働者学級ではなく、いきなり作曲科へ入学を許可された。しかし私も、まったく彼らと同じだった。楽譜が読めるようになると、夢中になって学びはじめた。昼も夜も一心不乱に…。多

晩年のハチャトゥリヤン

くの人々が私を助けてくれ、私が困難にぶつかったときには支えてくれた。

ある人間がなにかに熱中する…音楽に、物理に、または詩にとりつかれたとする。まわりの人がそれを助け、支えてくれる。その人間は学費の工面に頭をなやますことなく心ゆくまで学べる——これがソビエトの社会機構であり、その諸関係を基礎づけているのである。

私を指導してくれた教授は、名高い作曲家であり、すぐれた教育家であるミヤスコフスキーだった。深い感謝をこめて、彼の授業をひとつひとつ思いおこす。彼は作曲家の仕事の真髄を私たちに教えてくれた。彼は私たちの心に、聴衆にたいする作曲家の崇高な責任感を植えつけた。ミヤスコフスキーの活動、創作、そして彼自身のなかには、ロシアのインテリゲンチャの、ロシアの古典音楽の、ロシアの文化全般のすばらしい伝統がかたまり合っているようだった。このような人間に接し、彼の影響を、彼の教育をうけたことは、まだ知識もとぼしく、技術をもたない、激しやすいコーカサスの一青年であった私にとって、たいへん貴重なことだった。そして、生涯、このすばらしい恩師の面影を胸に秘めている。

三十年代の初め、外国から戻ったプロコフィエフがモスクワ音楽院で教鞭をとることになった。彼はミヤスコフフキーの教え子たちにも助言を与えてくれた。私たちは燃えるような好奇心と強い興奮をおぼえながら、この著名な作曲家をながめたのを、今でも忘れない。私はプロコフィエフに、書きあげたばかりの《クラリネットとヴァイオリンとピアノのためのトリオ》を見せた。彼はその作品に好意をよせてくれた。その後私は、さらに何回か彼の助言を求めに行ったが、プロコフィエフの注意はいつもわたしにとって新しい、未開の境地を開いてくれた。

プロコフィエフの名は、モスクワ音楽院の名声をいちだんと高めた。彼は学生たちに、音楽を、その発展過程を、その伝統を弁証法的にみるように導いてくれた。彼は、現代の創造的な問題のなかでもっとも複雑な現象を、学生たちに説きあかすことができた。プロコフィエフの名が二十世紀音楽界の頂点にかかげられたのは偶然ではなく、また、日本の作曲家オーキ・マサオ（大木正夫）氏が彼を「音楽の神」と呼ぶのも当然なことである。

私は音楽院について考えているのだが、その思いはひとりでに私の生活、私の家庭につながってしまう。だって、私の家庭が生まれたのはここ、音楽院なのだから。

また思い出になってしまうけれど…。

ドアにノックの音がした。私に対位法を教えていたジリャエフ教授が「お入りなさい」と返事をした。そして、幸福が入ってきたのだ。幸福は、黒い髪をした、つつましい乙女の姿で入ってきた。彼女は教室の片隅にあるいすにそっと腰をおろした。わたしはそのほうへちらりと目をやった。娘は真剣な緊張した顔つきをしていた。わたしはもう一度、ちらりとながめた。教授の声もほとんど耳に入らぬほど、わたしは夢中になって、彼女が今なにを考え、どうしてあんなに緊張し、どうしてあんなに悲しげな目をしているのか、知ろうとつとめた。授業が終わるころには、これらの問いにはっきりした回答を得ないうちは生きていられないような気がした。そして私は今でも、それにたいする回答を求めていると言うことができよう…。

ニーナ・マカーロワもわたしと同じく、ミヤスコフスキーの教室で作曲を学んでいた。彼女は個性的な、すぐれた曲を書いていた。わたしは彼女の作曲にも、彼女の美しさにも心をひかれた。彼女のつつましやかな、やさしい物腰が気にいっていた。彼女はひ弱な、いまにもこわれそうな感じの乙女だった。私は、彼女に私の人生の伴侶になってもらいたかった。私は彼女にそれを告白した。

いまでは、ニーナは多くの作品を書いた作曲家であり、社会活動家である。われわれの友情はさまざまな面に及んでいる——家庭生活の面でも、作曲の仕事のうえでも。私たちはしばしば一つの音楽会にいっしょに出演する——ソビエトでも、外国でも。

外国にいると、母校のことが特になつかしく思い出されるものだ。

私はさまざまな音楽院に出かけた。なかでも、もっとも名高い音楽院をいくつかあげてみよう。すでに十六世紀のむかしパレストリーナによって創設された、壮大なローマ音楽院、有名なパリ音楽院、ゆたかな歴史をもつウィーン音楽院やロンドン王立音楽アカデミー。革命以前には、モスクワ音楽院はそれらの外国の音楽院ほど有名ではなかった。当時のモスクワ音楽院は、諸外国からそれほど多くの学生をひき寄せる力はなかったのだ。だが、現在はその事情は一変した。モスクワ音楽院は世界有数の音楽院の一つにかぞえられるようになった。

非常に多くの才能ある学生たちが、ここで教育を受けている。これらの若者たちはモスクワ音楽院の卒業証書を手にして、ソビエト全土に散ってゆく。ソビエトの大都市はすべて、それぞれのオペラ劇場を、フィルハーモニーを、交響楽団をもっている。モスクワ音楽院の卒業生たちが多くの楽団を指揮している。南コーカサスを例にとってみよう。トビリシ音楽院長をつとめる作曲家のツィンツァゼはモスクワで学んだし、エレヴァン音楽院の卒業生だ。バクー音楽院をひきいる作曲家のガジェフもやはり首都の音楽アカデミーで学んだ…。

モスクワ音楽院の教授陣は世界的な音楽家として知られている。ソビエト芸術の声価をいまなお高めているオイストラフやギレリス、リヒテルやロストロポーヴィチ、コーガンやスヴェシニコフの名を、私は愛情をこめてかぞえあげる。彼らの教え子たちも、各地のコンクールで祖国に新たな光栄をもたらした。外国の音楽コンクールで優勝したソビエトの音楽家たちは、ほとんどすべてモスクワ音楽院の学生か、その卒業生だと言ってもよいほどである。

国際コンクールで最初に優勝したソビエトの音楽家は、すぐれたピアニスト、オボーリンだった。彼は「ソビエトの受賞音楽家一家のおじさん」というふざけたあだなをつけられさえした。一九二七年ワルシャワで行われたショパン記念国際ピアノ・コンクールで、彼は第一位を獲得して金メダルを受け、その輝かしい勝利によって、ソビエトの音楽家たちのまえに国際コンクール優勝という栄光の道をひらいたのである。いまではあらゆる国の人々が、ソビエトの演奏家は第一級であることを知っている。これこそ、モスクワの演奏家教育なのである!

世界中の若い音楽家たちは、モスクワ音楽院留学を夢みている。諸外国の学生たちが、暮らしているモスクワ音楽院の寄宿舎は、小さな地球とも呼べるのではないだろうか。二十八か国からやってきた百人以上の青年男女がここに集まっている。私の教室だけでも、日本、ルーマニア、チェコ、メキシコ、ブルガリア、ベネズエラ、レバノンなどの若者が学んでいる。

外国のどこかで、若い作曲家の作品を聴いたあと、私は彼にモスクワへ勉強にくるように勧めたことがある。寺原伸夫くんがそうだった。私は彼の作品を東京で、私の友人である関鑑子さんのところ(私はそれをコンミューンと呼びたい)で聴いた。関さんは「日本のうたごえ」の指導者で、レーニン国際平和賞の受賞者である。寺原くんは「日本のうたごえ」のために、いくつかの合唱曲を作曲していた。彼は一度も正式に音楽を学んだことがなかった。だが、それでも彼の作曲したカンタータ《日本の夜明け》はまったく本格的な作曲といってよく、なにより重要なのは、そのなかにすぐれた才能が感じられたことである。いま彼は、音楽院の三年級で学んでいる。

…九月が訪れた。明るい広々とした教室に、才能ある新たな若者たちがやってきた。これらの青年男女は、モスクワ音楽院創立百年祭にあたるこの年に、芸術の道を踏み出すというしあわせにめぐりあったのである。

ハチャトゥリヤンとの対話

――あなたの生涯の中で、もっとも重大なことは何でしょうか。

「作曲家にとっていちばん大事なできごとは、自分の書いた作品が初めて演奏される日である。新作の初演はこれまでに何回かあった。私にとってはそれが大事であり、胸をおどらせるのである。

そういうとき、もちろん喜びに満ちたことが多かったけれど、ビクビクするほど不安なことや、またつらい思いをしたこともある。それは、演奏が自分の思っているようでなかったり、結果として自分の考えた通りでなかったときである。話は別だが、ついこの間うれしいことがあった。息子に子どもができたことである。一歳になるその孫の名前は、アラム・ハチャトゥリヤン。私は彼が大好きで、そのかわいい色の眼をした孫がいることが誇らしく、またうれしくもある。それで、もし彼が将来作曲家になったら、なおのこともっとうれしい。しかし、それを見ることはないであろう」

――あなたの生涯の中で、何が悲しいできごとですか。

「一九七六年の一月、親愛なる私の妻であり、友人であり四十五年間いっしょに暮らしてきた作曲家ニーナ・マカーロワを亡くしたことである。彼女が非常に重い病をわずらい、とうとう亡くなったことは、私たち家族にとってとても悲しいことであるし、不幸なことである」

初孫を抱いて顔をほころばす

——人生における死について、どうお考えですか。

「そのことについて少し言いたい。あなたが若く、そのことに興味をもったり、また心をおののかせたりする気持ちはわかる。だが私は生きることを愛しており、また愛さずにはおれないのだ。私はすべての美しいもの、すばらしいもの、ダイナミックなもの、エネルギッシュなものを愛する。

私は努力することを愛する。例えば作曲家が努力してその成果を見ることができるのはたいへんうれしいことである。そしてそれは気持ちのよい、喜ばしい現象である。

しかし、すべての人々にとって、死は避けることができないものである。死はもちろん……いや話したくない。ただ、忘れてならないのは、人間の生涯には必ず死が存在するということであり、亡くなった後で、人々の心にあなたのことが、あたたかい思い出として残るような、そういう人生を送る必要があるということである。

この人生を具体的に説明すると、すべてがきちんと残ること、例えば作曲家でいうと、テープ、レコード、記録、それも単なる記録だけでなく、日記、手紙にいたるまできちんと整理されるような仕事をやりとげ、またそのやりとげた仕事が確認できるような人生である。そして、人間は人生の最後に死を迎えるのである」

――あなたはどのような性格の持ち主ですか。

「私はエネルギッシュで善良である。私は悪に対して、また人間が何か悪いことをしたことに対して許さない。人間は生涯を通して死ぬまで善良でなければならない。人間は生涯の中で、ちいさな事から大きな仕事まで、周囲の人々を助けることなど、よいことを行うよう努力する必要があると私は考えている。これは人間にとって、とても大切な性質である。

いまひとつ、私の性格には「シェル・シャーヴィ」（ざらざらしたという意味）という言い方があてはまる。そういうなめらかでない性格が私にはある。

それゆえ、私とつきあうのは簡単なことではない。私はある面では自由であるともいえるし、ある面では厳格であるともいえる。だから、家族であろうと、友人であろうと、同僚であろうと、私の曲を演奏するヴァイオリニスト、ピアニスト、チェリストであろうと、私と交際することはたやすいことではない。

なぜなら自分に対して厳しく要求を出すように、私は他人にも多くの要求を主張する人間だからである。人間の無為を許さないし、安易さ、おろかさを許さないし、悪や無秩序さを許さない…それが私の性格である」

——ピアノのための《トッカータ》はいつ書きましたか。

「《トッカータ》は、私のいちばん最初のピアノのための作品といってよい。この作品を書いたとき、私はまだモスクワ音楽院の学生ではなかった。そのころ私はまったく無名な人間で、作曲家の卵であった。

だが、この作品はおどろくべき運命をたどって、非常に急速に広がって外国（フランス、イギリス、アメリカ）で出版されたり、たくさんのピアニストに演奏されたりした。

ピアノ協奏曲は、一九三五年に作曲した。これは大きな作品で、内容の深い作品である。この曲をひとりのすばらしいピアニスト、オボーリンにささげた。オボーリンは一九二七年に、ワルシャワにおけるショパン・コンクールで、一位を獲得したソビエト人である。

これは、協奏曲というより交響曲というべきかもしれない。なぜなら非常に大きな交響的発展があり、衝突があり、その音楽の形象は起伏が鮮明で、その表現はいつでも発展していて、対立しているし、また、その衝突から爆発しているからである。

この曲はたくさんの国々で多くのピアニストが演奏しているし、レコードも出ている。

最近、私は日本のピアニストによる演奏をきく機会があったことを話しておこう。フィンランドに住む舘野泉さんは、とても優れたピアニストで、私の協奏曲をたいへんすばらしく演奏している。

こころもちテンポが速すぎる気もするが、それは彼がまだ若いからであろう。けれど、彼といっしょに演奏する機会があったら、もう少しゆっくり弾いてくれるように頼んだことだろう」

——このピアノ協奏曲を、どのような心境で作曲しましたか。

「それをいうのはなかなか難しい。私をとりまいている生活のすべてが反映しているといえるであろう。私はこれまでに非常にたくさんのものを見てきたし、たくさんのことを聞いてきた。作曲家は、印象なしに生きることはできない。

私はこれまでに四十二の国をまわり、日本にも一度行ったことがあるし、もう一度いくことを願っている。そういうふうにして体験したすべてのものが、この協奏曲に反映している。この私の協奏曲を主題にして、論文だけでなく、学位論文や卒業論文も書かれている。それらはよく分析され、また検討されたものである。そして、そのような論文を書いた人たちは、著名な学者、評論家、教授や、尊敬すべき人々である」

——この協奏曲をつくるにあたって、何か困難がありましたか。

「もちろんあった。私が協奏曲を書いていることを、作曲家のセルゲイ・プロコフィエフ

（ロシアクラシックに属するといってもいいだろう…）が知って、非常にびっくりしてこういった。

『ピアニストに何をさせるかということによく注意しなさい。』

と。

私はピアニストではないが、ピアノのことをよく知っているし、ピアノのために作曲することもできると思っていた。なぜなら、ピアニスティックに響くピアノのための曲をすでにある程度書いていたからである。

それに、私の音楽については、彼の信頼を得ているように思えた。なぜならプロコフィエフは、初めて外国からモスクワにやってきたときに、私がモスクワ音楽院二年生のときに書いた《クラリネットとヴァイオリンとピアノのためのトリオ》を聴いて、すぐその曲をテープにコピーするようにと頼んだからだ。そしてそのコピーは外国へと持っていかれ、そこでこのトリオは出版される前に、プロコフィエフが外国で広めてくれた。

この話をしたのは、私と私の音楽を彼が信頼していたということをいいたかったからである。しかし、プロコフィエフは私が協奏曲をどの程度ピアニスティックに書くかという点で、疑問を抱いていた。そのことでは私を審判してほしい。

しかし私の考えでは、このピアノ協奏曲では、新鮮で独創性のあるピアニスティックな技法を思いつくことに成功したようである。なぜならだれかの何かに非常に似たように書くことは許されない。

プロコフィエフは、この協奏曲を満足気に好意をもって迎えてくれた。そしてこのピアノ協奏曲は、プロコフィエフを驚かし、このようにピアニスティックに響く曲がどのようにして書けたかということに、彼はたいへん興味をもった。

ピアニスティックな作品を書くことは、現今とても難しい。私はピアニスティックなスタイルのことだけを考えているわけで、音楽的なスタイルのことを考えているのではない。ハイドン、モーツァルト、ベートーヴェン、シューマン、シューベルト、リスト、ショパン、さらにロシアの作曲家では、メットネル、スクリヤービン、ラフマニノフの後で、ピアノのための作品を書くことはとても大変で、現代の作曲家の中で、ピアニスティックなスタイル――音楽的なスタイルではない――をつくり出せたのは、プロコフィエフだけである。

もちろん、偉大な作曲家であるストラヴィンスキーやショスタコーヴィチもピアノ曲を書いているけれども、ピアニスティックなスタイルのことだけでいえば、現代の作曲家の中ではプロコフィエフだけに自己の手法を見い出せる。

そういうわけで、私もたいへん苦労した。私が苦心したことは、何かに似たものがないように書くことだ」

――この曲の感情について聞かせて下さい。

「どのような感情でこの協奏曲をつくったかという質問であろうが、おそらくエモーションのことを尋ねているのだろう。

私は、だいたい非常に情的な人間である。作品には、私の気質や気分がたいへん強く影響する。私は作品をつくりあげるのではない。作曲するのだ。耐えぬくのだ。

私にとって、作曲することは祈るようなものだ、作曲するときは、いつでも私は恍惚《こうこつ》の状態にある。そして、聞こえてくるものだけを書く。

もちろん作曲のテクニックについていえば、それを考えることは必要である。どんなぐあいに対位法を使い、基本的なテーマをどのように処理するか…といった問題について。

しかし、作品の萌芽自体というか、つまり最初に生まれる音楽は、心から、精神から、真の心から、あふれ出てくるのである」

――音楽観についてお聞かせ下さい。

「自分の作品についてどう考えるかという意味だと思うが、この問いはたいそう奇異に感ずる。なぜなら、『自分の父親や母親についてどう考えるか』、あるいは『父親が自分の子どもについてどう考えるか』、『母親が自分の子どもについてどう考えるか』と聞いているのと同じだからだ。つまり、私の作品や私の音楽は私の子どもなのだ。

どう考えるか…結構だと思う。みんな大好きだ。どんな作品をも否定しない。だが私が、すべて理想的な作品を書いているということはいえない。

そして、私はまたこれからも理想的な作品を書きたいと願っている。しかし今言っているのは、私は自分の作品を愛しているということだ。

安易に自分の作品を否定する作曲家たちがいる。だが作曲家は、自分の作品を愛すべきである。自分の作品の不十分さは知らなければならないが、愛すべきであって、否定すべきではない。

『ああ、この曲は私が十年前に書いた作品で、つまらない！』と言う作曲家がよくいるが、こういう人間は、悪いけれど、作曲家にふさわしくない。なにか不十分さはあるかもしれないが、しかし、彼は自分の血を信頼して真心から作曲したはずである。だから、軽々しく自分の作曲を否定するべきではないと思う」

付1　ハチャトゥリヤンを語る

《D・ショスタコーヴィチ》

芸術家と人民と――アラム・ハチャトゥリヤンの芸術を考えると、すぐにこの対比が思い浮かぶ。この芸術家は、実際に人民や彼らの音楽や詩と固く結びつき、人民の知恵と心になって、彼らの世界を、生活を、現代の歴史を見たり、また理解したりするすぐれた才能にめぐまれている。この断ちがたい結びつきのなかにこそ、ハチャトゥリヤンの音楽の最も輝かしいオプチミズム、精神的健康美の源泉がある。

全人民的な作品は、その作曲者が敏感に他の文化の成果をくみとり、みずからの母国の文化の民族的特質を注意深く発展させる場合にだけ生みだしうるということを、旧来の、また現代の音楽文化史は示している。そしてまさにそういう作品がハチャトゥリヤンの音楽である。彼は、新しい、彼以前にはだれも手をつけなかったようなコーカサスの民謡の鉱脈を掘りおこし、民族的、専門的音楽の伝統に基づきながらも、決して他にみることのできない独特な、しかしそればかりでなく真に革新的な特徴にみちた、きわめて現代的な作品を創造した。ハチャトゥリヤンなくして、こんにちソビエトの、また世界の音楽文化は考えられない。

（『ソビエト音楽』一九六三年六号）

作品の主人公に音楽による特徴的なイメージを与えることの巧みなハチャトゥリヤンの才能は、バレエ《スパルタクス》に新しい力をもって表わされている。作曲者はここで、交響曲的展開の原則と、舞踊芸術に求められる特性とを結びつけている。なお、それにつけ加えておきたいことは、《スパルタクス》のスコアが、作曲者の非の打ちどころのない手腕によって、傑出したものとなっていることである。オーケストラが独特の色彩をもった、まれにみるような響きをもっているし、個々の色あいをたくみに配置したり、その組み合わせでも限りない多様さを発見しているからである。

《スパルタクス》の音楽の鮮やかさ、華やかさ、色どりが強烈なので、〝抑圧に対して立ちあがる奴隷の革命的闘い〟というこのバレエの基本的なテーマが、結果としてかすんでしまうのではないか、と一瞬危ぶむことさえある。

けれどもハチャトゥリヤンはそうした危険に陥らずにすんだと私は信じたい。ましてバレエの劇的展開は総じてすばらしいできばえである。スパルタクスが力と勇気をみせる第一場から主人公が倒れる最後の戦闘の場まで、観客は息をもつかずテーマの展開についていくことになる。

バレエ《スパルタクス》の音楽は、疑いもなく興味深く感動的である。それは天才的な出来で、この作曲家の書いた他の作品同様、そこにはあざやかな創造的個性が刻まれている。

大きな創作的才能のあらわれといえる彼の個性は、音楽のスタイルにだけ、また文字どおりスタイルのひとふりごとに作曲者の特質の認められる点にだけ表われているのではない。その個性は、音楽の制作面にとどまらずはるかに広く豊かである。ハチャトゥリヤンの個性は、わが国の現実を人生肯定的に見ようとする深いオプチミズムに基づく作曲者の世界観にかかわらせてみなければならない。ちなみに、ハチャトゥリヤンのこの創作面は、不当に忘れ去られたその交響曲にきわめてあざやかに表われている。

ハチャトゥリヤンの音楽のすばらしい特質のひとつは、総じてとりわけバレエ《スパルタクス》では、その人民性にある。その音楽の人民性と民族性とは、すばらしい交響曲、協奏曲に現われているのみならず、他のあらゆる作品にも現われ、それは主題は違っていても変わらない。

バレエ音楽《ガヤネ》、《仮面舞踏会》の音楽、組曲《ヴァレンシアの未亡人》バレエ音楽《スパルタクス》——これらすべての作品において、ハチャトゥリヤンはいちじるしく民族的である。しかしそれは人民性、民族性のせまい理解にとどまらず、陳腐なイントネーション、ハーモニー、リズムに限られてはいない。それは世界文化の高みによって豊かにされた真の人民性であって、世界文化に新しい貢献をもたらしている。

ハチャトゥリヤンのバレエ《スパルタクス》は、そういうふうなものに私には思える。これはわが国の音楽界の大きな、喜ぶべき事件である。

（『ソビエト文化』一九五五年八月二十日号）

《黒沼ユリ子》

日本フィルハーモニー交響楽団の指揮者としてのハチャトゥリヤンの来日は、突然の急病のため実現しなかった。黒沼さんが文中で指摘しているように、来日中止を残念がる声や、不必要な臆測もあったようで、来日直前に病院でハチャトゥリヤンに会った黒沼さんの旅行記を、本人の了解をえて掲載することにした。原文は黒沼ユリ子著「アジタート・マ・ノン・トロッポ」(未来社)の五十六頁から六十二頁に収録されている。

私の今回の訪ソ目的は、もちろん演奏会をすることにあったのだが、偶然にも近々来日して自作の指揮をすることになっていたアラム・ハチャトゥーリアン氏と、私も東京や横浜で協演することになっていたので、私がモスクワに到着し次第、彼と会って打合せをすることも含まれていた。そしてもちろん私たちは、この打合せもちゃんとすませたのだが、その後、日本への出発を目の前にして、医師団は彼の健康異常を発見、彼は腎臓の大手術を早急に受けなくてはならなくなってしまった。むろん彼の熱望していた日本行はやむなくキャンセルされた。リガにいた私の旅先へモスクワからこの事《ニュース》が知らされた時私は「やはりそうなってしまったか」と落胆すると同時に、彼の健康の恢復が一日も早いことを祈った。それというのも私が彼のタクトを見ながらコンチェルトの打合せをした場所がすでに病室で、その時から「もしや」という危惧を私は抱かずにはいられなかったのだから……。

モスクワに着いた翌日、ハチャトゥーリアンと会うためには、作曲家同盟と同じ建物にあると聞いていた彼のアパートを訪ねるものとばかり思っていた私は、「病院で会う」という通知を受けて少なからず驚いた。その病院は面会にも非常に厳しい所で、誰でも入れるわけではないため、ハチャトゥーリアン氏が自分の運転手を迎えにまわしてくれる、という。その日の約束時間の三〇分前に、私の泊っていたホテル・ウクライナの玄関には、最新型のベンツが待っていた。

私を乗せた車は、広いモスクワの通りを時速八〇キロのスピードで走り抜け、やがて大地がやわらかい雪でおおわれた白樺と松の美しい林の道を走って行った。時どきスキーを楽しむ子供たちをながめながら二十分ほど行くと、木立ちをすかしていくつかの大きな立派な建物が点在している敷地内に入った。私の目ざす病棟もその中のひとつだった。ここに来るまで誰にたずねても、ハチャトゥーリアン氏の入院の原因が解らなかったので、私は秘かにこの病院が、老人のための保養所のような所であることを希っていた。だが私が到着した時は、ちょうど午後のお茶の時間になっていたらしく、廊下には各室からガウンをはおった、明らかに病気の気配が感じられる人々が、静かに坐ってお茶を飲んでいた。「こんな所に入院している人が果してあと数日後に、日本へ発てるのかしら……」と、長い廊下を歩きながら私は少し不安になった。

ホテルのシングルルームのように、ドアを入ると左手にバスルーム、正面の奥が病室になっていた。あまり広くないその部屋には、鉄製の病人用のベッドと机と椅子が二、三脚あるだけ。机の上に日本製のテープレコーダーが置いてあることと、ベッドの頭の上のところに最近亡くなられた夫人のニーナ・マカロヴァ女史の遺影が、そっと下を見つめて微笑《ほほえ》みかけている……それ以外には、この何の変哲もない病室が今世紀の生んだ大作曲家の一人、アラム・ハチャトゥーリアン氏のものだ、という特徴は何もなかった。

今から十年以上も前のことだが、私はプラハで彼自身が指揮棒を振り、レオニード・コーガンが氏のヴァイオリン協奏曲を弾いたのを聴いたことがある。その時の印象が、細身で小柄なコーガンとは対照的に、ハチャトゥーリアン氏は巨大な英雄像のように堂々としたタキシード姿として私の頭の中に残っていたため、この時、自分の目の前に部屋着姿で肩を張らずに立っておられる氏とが、どうもカメラのピントを合せるようには、ピタッと重ならなかった。

モスクワ郊外の白樺林の中にあるそこが、「クレムリン病院」と呼ばれている所だとは、あとになって解った。その中の一室で、私はハチャトゥーリアン氏と向い合っていた。初めて個人的にお会いしたのだったが、優れた芸術家の多くがそうであるように、彼もまた、全然気取ることなく、ごく自然に私を迎え入れてくれた。ふさふさとした銀髪、太いマユ毛、大きな目鼻、ちょっと前に出た厚い唇、重くガッシリした手……メキシコの壁画家シケイロスとどこか似ているようなスケールの大きなタイプの人。それは、まぎれもなく想像どおりのハチャトゥーリアン氏であったのだが、そこが病室であるという私の先入観のせいか、いくぶん元気がたりないように感じられた。その時にはまだ私も、彼が本当に病人であるとは信じたくない気持だった。彼の言葉どおり『人民芸術家』が国外に出る前には必ず身体検査を受けなくてはならないという、ソ連というこの国の芸術家に対する細かな心づかいのシステムに敬意を表しつつも、「明日は、朝八時から総チェックが始まるイヤな日になる」と顔をしかめる氏に同情したりしていたのだが……。

日本への出発を一週間後に控えた氏に、日本フィルハーモニーをはじめ、多くの音楽愛好家たちが氏の来日を楽しみに待っていることを伝えると、急に見違えるように彼の表情が輝き出した。たのまれて持って来たスケジュール表を彼に手渡すと、その中の「NHKテレビによる練習姿のビデオ撮り」という項に目が止まり、

「私の練習中というのは、髪の毛は乱れ、汗がボタボタ飛び散る状態だから、そんなところをテレビに映されては恥かしい」などとおっしゃりながらも、十三年ぶりに訪れる日本を想い浮べて大変嬉しそうな様子だった。

「弱音器《ソルディノ》を持っていますか。ここは病室なので小さい音しか出せません」と言われて、私はヴァイオリンを取り出し、弱音器を駒の奥まで差し込んだ。ところが、いざ軽く小さな音で弾きはじめてみると、スコアをのぞき込みながら手を振る氏のゼスチュアは、まるで大ステージでオーケストラを前にしている時のようになり、オーケストラ・パートを朗々とうたい、私には「豊か

な音を！」とか「内容のある音で！」とか大声が飛んでくる。いつしか私も弱音器のことも病室であることもすっかり忘れて、普段のように弾いていた。フィナーレまで全部とおして弾き終えると、部屋の暖房がよくきいていたせいか、それとも本番のように集中して弾いてしまったせいか、私のひたいはうっすらと汗ばみ、窓の外の雪景色が目に涼感を与えて気持よいくらいだった。

「どうも私の知らないところで、ずい分あちこちカットをして演奏する人がいるようですが、そんなことは、私が死んでからやってもらいたいものです。なぜなら、私はこの曲にひとつも無駄な小節や、不必要な音は書いていないと信じているのですから……」

「あなたが私のカデンツァを弾いて下さるのは大変嬉しいです。オイストラッフが創ったカデンツァもとても美しいのですが、彼のは少々幻想的です。私は自分のカデンツァにおいて、再現部へ戻る前の、展開部の総決算をする重要な意味を与えているので、これによってこの第一楽章の中心部がひきしまってほしいのです」

「しかし、オイストラッフがこの曲に与えてくれた音楽の心については、片時も忘れることができません。彼の第二楽章のうたいまわしなどは、あまりの美しさに、私は何度か目まいを起しそうになったほどです」

「音楽には心がなくてはなりません。一音一音に生命があるのです。現代音楽も含めて……。

f（フォルテ）の時も pp（ピアニシモ）の時も実のつまった、豊かな音で語りかけなければ、聴き手に自分の気持を伝えることはできないでしょう」などなど。

別にメモをとったりテープに録音したりしたわけではないので、氏の言われた言葉を完全に再現することはできないが、大体こんな風なことを表情豊かに話して下さった。そして机の上に用意してあった真新しい楽譜にサインをして、「これはコーガンに捧げたヴァイオリンとオーケストラのためのコンチェルト・ラプソディーです。ぜひ勉強して下さい。あなたは一年四ケ月後に、モスクワで私と一緒にこの曲を弾くことになるでしょう」とおっしゃりながらプレゼントして下さった。だが、なぜピッタリと「一年四カ月後」などと言われるのか、まるでナゾナゾのようでちょっと考えても私にはどういう意味か解らないので、そのことをたずねようとした時、後ろから看護婦さんに「面会時間は、もうとうに過ぎています」と声をかけられ、私は急いで帰り仕度をしなくてはならなくなった。東京での再会と共演を楽しみに……という気持をこめた固い握手を交わしてお別れした。まさか、その数日後に医師団が氏に手術を命ずるようになるとは夢にも思わないで。

だいぶ長くなってしまったが、私がここであえてハチャトゥーリアン氏との会見記を書いたのは、氏の突然の来日中止にあたって、非常に残念がる人々が多かったばかりでなく、それと同時に不必要な臆測もされていた（例えば、表むきは病気という理由だが、実際には何か政治的理由があったのではなかったか、とか）ということが帰京してみて私の耳に入って来たので、唯一の日本人の〝証人〟として、真実のところをお伝えしたかったからだ。

グルジア共和国の首都トビリシの製本屋の息子に生れたアラム少年は、一九一七年の十月革命のあと、長いモスクワまでの汽車の旅をした。停まる駅ごとにホームで音楽と踊りの集会をくりひろげる仲間たちの音楽隊《バンド》に加って彼も大活躍はしたが、彼の当初の目的は、モスクワに出て物理学者になる勉強をすることだった。にもかかわらず、彼の並はずれた音楽的才能が認められて、今日ある大作曲家ハチャトゥーリアンになることができたのも、ひとえに社会主義革命後のロシアだったからこそ可能であったと言えなくもないだろうか。そして、晩学ながら、一作ごとに注目を集め、傑作を次々と生みつつ、着実にソ連音楽界の中での重要な地位を築き上げたハチャトゥーリアンであることを知っていれば、彼が健康上の理由以外のことで外国旅行を中止するなどということは、まず考えられないことだ。とにかく今は、腎臓手術後の氏が順調に恢復に向って静養中であることを祈り、またの機会に日本を訪れ、自作自演で私たちに氏の音楽の本質である「人間であることの歓び」を示して下さることを期待するばかりだ。

付2　A・作品目録

曲名　　　　　作曲年　　　その他

バレエ音楽

幸福　一九三九　アルメニアオペラバレエ劇場（初演）

ガヤネ（ガイーヌ）　一九四二　レニングラードオペラバレエ劇場ペルムにて（初演）、ソビエト国家賞

一九四三（バレエ《幸福》の音楽を使用）、第2改訂版一九五二、第三改訂版一九五七

スパルタクス　一九五〇～五四　初演一九五六レニングラードオペラバレエ劇場、一九五九バレエ音楽にたいしてレーニン賞、一九六八ボリショイ劇場公演にたいしてレーニン賞

合唱と管弦楽のための作品

交響的オーケストラと合唱のための——スターリンに寄せるポエム　一九三八　アシューグ、M・バイラモフ詩

三つのアリア——詩曲、伝説、讃歌　一九四四～四六　伝承、O・T・トゥマニヤン詩、M・ペシクタシュリヤン詩

歓喜の讃歌　一九五六　S・V・スミルノフ詩

祖国に寄せるバラード　一九六一　A・G・ガルナルケルヤン詩

アルメニア共和国国歌　一九四四

交響曲作品

交響曲第一番　一九三四

交響曲第二番　一九四三　一九四六ソビエト国家賞
交響曲第三番　一九四七　最初、シンフォニー・ポエムと名づける

管弦楽曲

舞踊組曲　一九三三　五曲
ヴァレンシアの未亡人　一九四〇　劇音楽から
舞踊組曲《ガヤネ》　一九四三　第一、第二、第三組曲
仮面舞踏会　一九四四　劇音楽から
スターリングラードの戦い　一九四九　映画音楽から
舞踊組曲《スパルタクス》　一九五五　第一、第二、第三組曲　一九五五バレエからの交響楽的情景
レールモントフ　一九五九　劇音楽から
ロシアのファンタジー　一九四四
V・I・レーニンの思い出によせる讃歌　一九四八
祝典的ポエム　一九五〇
歓迎序曲　一九五八

協奏曲作品

ピアノ協奏曲　一九三六　三楽章
ヴァイオリン協奏曲　一九四〇　三楽章、ソビエト国家賞一九四一
チェロ協奏曲　一九四六　三楽章
ヴァイオリンのためのコンチェルト・ラプソディー　一九六一
チェロのためのコンチェルト・ラプソディー　一九六三　アルメニア国家賞一九六五

ピアノのためのコンチェルト・ラプソディー　一九六八　三部作のコンチェルト・ラプソディーにたいするソビエト国家賞一九七一

吹奏楽作品

軍隊行進曲　二曲　一九二九～三〇

プリャースカ風に（ロシアの踊り）　一九三二

行進曲第三番　一九三二

舞曲　一九三二

大祖国戦争の英雄にささげる行進曲　一九四二

モスクワ赤旗勲章受勲民警の行進曲　一九七三

祝典ファンファーレ（トランペットと太鼓のための）　一九七五

室内楽曲

ピアノとヴァイオリンのための

ソナタ　一九三二

舞曲　一九二六

ソング・ポエム（詩曲）　一九二九

クラリネットとヴァイオリンとピアノのための三重奏曲　一九三二

弦楽四重奏のための二重フーガ　一九三一

ピアノ曲

ソナタ　一九六一

ソナチネ　一九五九
ポエム　一九二六
レシタティーボとフーガ（七曲）　一九二八〜六六
組曲（トッカータ、ワルツ＝カプリース、舞曲）　一九三二
小品——三曲（オスティナート、ロマンス、幻想的ワルツ）　一九四五
子どものアルバム（第一巻　一九二六〜四七、第二巻　一九六五）

器楽曲

無伴奏ヴァイオリン・ソナタ　一九七五
無伴奏ヴィオラ・ソナタ　一九七六
無伴奏チェロ・ソナタ　一九七四

歌曲

ゴーゴリ公園にて　一九三五　S・V・ミハルコフ詩
コマラドスの闘い　一九三六　L・スモリヤン詩
ニーナのロマンス（《仮面舞踏会》の劇音楽から）　一九四一
ガステッロ大尉　一九四一　A・ルギン詩
バルチック海　一九四一　Y・ロジオノフ詩
力強いウラル　一九四二　A・L・バルトー詩
ウラル人は正しく闘う（同右）
ウラル娘　一九四三　G・スラーヴィン詩
わたしはお前を待っている（同右）

わが祖国の栄誉　一九四三　V・I・レーベジェフ・クマーチ詩
赤軍の歌　一九四三　ショスタコーヴィチと共作、M・ゴロドヌイ詩
エレヴァンの歌、アルメニアの宴会、幸福のじゅうたん、娘の歌、歌　一九四八〜五二　以上A・グラーシ詩
心の歌　一九四九　ミハルコフ詩
わが祖国　一九五〇　I・I・サドフィエフ詩
平和の誓い　一九五〇　G・ルブリョーフ詩
平和を護る女性たちの歌　一九五一　S・G・オストローヴィイ詩
春の謝肉祭　一九五六　P・M・グラードフ詩
今日は愉快だ　一九六三　S・A・ヴァシリエフ詩
あなたたちアラブの友人へ　一九六四　G・G・レギスタン詩

合唱曲とピアノのための作品

共産青年同盟の鉱山労働者　一九三一　V・スニストコフスキー詩
ピオネールの歌——三曲（子どものための合唱曲）　一九三三　N・ウラジミルスキー、ミハルコフ詩
子どもたちは何を望んでいるか（子どものための合唱曲）　一九四九　V・Vヴィンニコフ詩
友情のワルツ　一九五一　G・ルブリョーフ詩

無伴奏男声合唱曲

行軍の歌（映画『ウシャコフ海軍大将』から）　一九五三　A・A・スルコフ詩
ロシアの水兵の歌（映画『軍艦は稜堡を襲撃する』より）　一九五三　スルコフ詩

民謡編曲

アルメニア民謡—五曲　一九三一
トルクメン民謡　一九三一
ハンガリー民謡—二曲　A・ギダシ詩
トルコのジャームズ・イジム　一九三一
ウズベクの民謡　一九三五　T・S・シコルスカヤ詩
タジクの民謡——二曲　一九三九　A・A・ラフチ詩

劇音楽

『バグダサル・アフパル』（『バグダサル伯父さん』）　一九二七　アルメニア文化モスクワの家附属第二ドラマスタジオ
『東方の歯科医』　一九二八　パロニヤン作、同右
『ハタバラ』　一九二八　スンドゥクヤン作、同右
『名誉の負傷』　一九三一　ミキチェンコ作（N・N・ラフマーノフと共作）、第二モスクワ芸術座
『マクベス』　一九三三　シェークスピア作、エレヴァン、スンドゥキヤン記念劇場
『壊れたかまど』　一九三五　スンドゥクヤン作、アルメニア文化モスクワの家
『偉大な一日』　一九三七　キルション作、モスクワ赤軍中央劇場
『バクー』　一九三七　ニキーチン作（A・Y・ペイシンと共作）、S・E・ラドロフ指導のレニングラード劇場スタジオ
『ヴァレンシアの未亡人』　一九四〇　ロペ・デ・ベガ作、モスクワのレーニン・コムソモール記念劇場
『仮面舞踏会』　一九四一　レールモントフ作、モスクワのヴァフタンゴフ記念劇場
『クレムリンの大時計』　一九四二　パゴージン作、モスクワ芸術座

『遠距離偵察』　一九四三　クローン作、同右
『最後の日』　一九四五　シュクヴァルキン作、ヴァフタンゴフ記念劇場
『南の拠点』　一九四七　ペルヴェンツェフ作、モスクワのソビエト軍中央劇場
『真実についての物語』　一九四七　アリゲル作、同右
『イリヤ・ゴローヴィン』　一九四九　ミハルコフ作、モスクワ芸術座
『春の急流』　一九五三　チェプリン作（N・V・マカーロワと共作）、モスクワのソビエト軍中央劇場
『ネブラスカからの守護天使』　一九五三　ヤコブソン作、モスクワ芸術座
『レールモントフ』　一九五四　ラヴレニョーフ作、同右
『マクベス』　一九五五　シェークスピア作、モスクワのマールイ劇場
『リヤ王』　一九五八　シェークスピア作、モスクワのモスクワ市ソビエト記念劇場

映画音楽

『ペポ』　一九三五
『ザンゲズル』　一九三八
『庭』　一九三九
『サラヴァト・ユラエフ』　一九四一
『人間二一七号』　一八四五
『ロシアの問題』　一九四八
『V・I・レーニン』　一九四八
『スターリングラードの戦い』　一九四九　一九五〇ソビエト国家賞
『彼らには祖国がある』　一九五〇
『秘密の任務』　一九五〇

『ウシャコフ海軍大将』　一九五三
『軍艦は稜堡を襲撃する』　一九五三
『サルタナト』　一九五五
『オセロ』　一九五五
『永遠のかがり火』　一九五六
『決闘』　一九五七
『平和の鐘』　一九六二

（МУЗЫКАЛЬНАЯ ЭНЦИКЛОПЕДИЯ; Но. 5 1050~1051 《СОВЕТСКАЯ ЭНЦИКЛОПЕДИЯ》
1981 МОСКВА
音楽百科事典　第五巻　一〇五〇~一〇五一《ソビエト百科事典》出版社　一九八一年　モスクワ　より）

年表――ハチャトゥリヤン　生活と活動の基本的な日時（作品目録と同書・同巻1048―1050より）

年　月　日　　（年齢）	事　　項
1903年　6月6日	アラム・イリイッチ・ハチャトゥリヤンは，コジョール（グルジア共和国の首都トビリシの町はずれ）の製本業者エギーヤ（後にイリヤと改名）・ヴォスカノーヴィチ・ハチャトゥリヤンと，彼の妻クマーシュ・セルゲーエヴナの四男として生まれる。
1911年～1913年（8～10歳）	私立 S. V. アルグチンスキー・ドルゴルカヴォイ寄宿小学校に在籍。
1913年～1921年（10～18歳）	商業専門学校に在籍。
1921年　7月　（18歳）	アルメニア文化活動者グループとともに，集会と演奏公演を組織するための宣伝旅行にアルメニアへ出かける。のちモスクワに移る。
1922年　9月　（19歳）	モスクワ大学生物学部とグネーシン記念中等音楽専門学校に入学。グネーシン中等音楽専門学校では，初めS. F. ブィチコフ，1923年からは A. A. ボリシャークのチェロ演奏クラスで学ぶ。
1925年　（22歳）	M. F. グネーシンのクラスで作曲の勉強を始める。モスクワ大学中退。
1926年　11月～12月（23歳）	「アルメニア文化 モスクワの家 付属第二アルメニア・スタジオ」（R. N. シーモノフ指導）の音楽部主任としての仕事が始まる。
1927年　5月14日　（23歳）	同スタジオで，ハチャトゥリヤンの音楽による演劇《バグダサル伯父さん》の初演。
1928年　（25歳）	同スタジオで，スンドゥクヤンの演劇《ハタバラ》（2月1日）とパロニヤン

			の演劇《東方の歯科医》（4月6日）が，ハチャトゥリヤンの音楽で初演。5月，同スタジオとともにアルメニア旅行。
1929年		(26歳)	グネーシン記念中等音楽専門学校を卒業。 モスクワ音楽院に入学，M.F.グネーシンの作曲クラスに入る。
			ハチャトゥリヤンの作品，ピアノのための《ポエム》，ヴァイオリンとピアノのための《舞曲》，《ソング・ポエム――アシューグに敬意を表して――》(「アルメニア国立出版所」より出版）の初演。
1930年		(27歳)	N.Y.ミヤスコフスキーのクラスに移る。
1931年	9月14日	(28歳)	《弦楽四重奏曲》(コミタス弦楽四重奏曲　モスクワ）初演。
1933年		(30歳)	《クラリネットとヴァイオリンとピアノのためのトリオ》初演。(クラリネットA.G.セミョーノフ，ヴァイオリンG.K.バグダニヤン，ピアノN.M.ムシニヤン　モスクワ音楽院小ホール)
			S.S.プロコフィエフの助力で，パリの「トリトン協会」のコンサートで，ハチャトゥリヤンのトリオを演奏。
			ミヤスコフスキーの作曲クラスの女子学生N.V.マカーロワと結婚。
	6月22日		《舞踊組曲》から三章の初演。(指揮N.P.アノソロ，モスクワ音楽院大ホール)
1934年		(31歳)	モスクワ音楽院を優等で卒業，同大学院に入学。(指導　ミヤスコフスキー　1936年修了)

1935年	4月23日	(31歳)	モスクワで《第一交響曲》初演。(指揮 E. センカール，モスクワフィルハーモニー交響楽団)
			ハチャトゥリヤンの音楽による映画《ペポ》の封切。
			M. ゴーリキーの別荘で，M. ゴーリキー，R. ロランとの出会い。
1936年	5月30日	(32歳)	「アルメニア文化 モスクワの家」のホールで，第1回ハチャトゥリヤン自作の夕べを開催，《ピアノ協奏曲》の第一楽章を演奏。(2台のピアノ用改訂版による)
1937年	7月12日	(34歳)	モスクワで《ピアノ協奏曲》初演。(指揮 L. P. シュテインベルク，ソリスト L. N. オボーリン，モスクワフィルハーモニー交響楽団，文化と休息公園「ソコーリニク」)
1938年	5月23日	(34歳)	ハチャトゥリヤンの音楽による映画《ザンゲズル》の封切。
			アルメニア功労芸術家の称号を与えられる。
	11月29日	(35歳)	交響的オーケストラと合唱のための《スターリンに寄せるポエム》初演。(ソ連邦国立交響楽団，指揮 A. V. ガウク，モスクワ音楽院大ホール)
1939年		(36歳)	バレエ《幸福》の仕事でアルメニア旅行，民族音楽家との出会い。
	9月		アルメニア オペラバレエ劇場で，バレエ《幸福》初演。(バレエマスター I. I. アルバートフ)
	10月24日		モスクワでのアルメニア芸術旬間に，バレエ《幸福》ボリショイ劇場で上演。
1940年	11月16日	(37歳)	モスクワで《ヴァイオリン協奏曲》の初演。(指揮 A. V. ガウク，ソ連邦国

			立交響楽団，ソリストD.F.オイストラフ，チャイコフスキーホール)
1941年	6月21日	(38歳)	ハチャトゥリヤンの音楽によるレールモントフの演劇《仮面舞踏会》初演。
1942年	12月9日	(39歳)	レニングラード オペラバレエ劇場，ウラル地方のペルム市で，バレエ《ガヤネ》初演。
1943年	10月3日	(40歳)	モスクワでバレエ第一組曲《ガヤネ》の初演。(指揮 N.S.ゴロヴァノフ，ソ連邦の家 コロムヌイホール)
	12月30日		第二交響曲の初演。(指揮 B.E.ハイキン，ソ連邦国立交響楽団，モスクワ音楽院大ホール)
1944年	3月6日	(40歳)	第二交響曲改訂版の演奏。(指揮 A.V.ガウク，ソ連邦国立交響楽団，モスクワ音楽院大ホール)
1946年	11月	(43歳)	チェロ協奏曲の初演。(指揮 A.V.ガウク，ソリストS.N.クヌシェヴィツキー，ソ連邦国立交響楽団，モスクワ音楽院大ホール)
1947年	7月26日	(44歳)	アルメニアオペラバレエ劇場でバレエ《ガヤネ》の初演。(バレエマスターアニシモーヴァ)
	12月13日		第三交響曲の初演。(指揮 E.A.ムラヴィンスキー，レニングラード フィルハーモニー交響楽団，レニングラード フィルハーモニー大ホール)
1948年	12月26月	(45歳)	《V.I.レーニンの思い出によせる讃歌》初演。(指揮 ガウク，全ソ ラジオ大交響楽団，モスクワ音楽院大ホール)
1949年	12月9日	(46歳)	ハチャトゥリヤンの音楽による映画《スターリングラードの戦い》封切。

1950年	8月	(47歳)	指揮者として演奏活動を始める。(自作だけを演奏する)出演者のひとりサートは，エルミタージュコンサートホールの自作自演演奏会でデビュー。
			グネーシン音楽教育大学とモスクワ音楽院（作曲クラス）で教育者としての仕事を始める。
	10月		ルイビンスクとヤロスラヴリへ指揮者として初の演奏旅行。（ソリストD.F.オイストラフ，ヤロスラヴリ フィルハーモニー交響楽団)
	12月9日		祝典的ポエムの初演。(指揮 ガウク，全ソラジオ大交響楽団，モスクワ音楽院大ホール)
			ソビエト文化活動家代表団の一員としてイタリア訪問。ローマラジオ交響楽団の指揮者としてローマでデビュー。
1951年	2月	(47歳)	キエフ，オデッサ，ハリコフで自作自演の交響的コンサート。(ソリストD.F.オイストラフ，S.V.クヌシェヴィツキー，フィルハーモニー交響楽団)
	4月		自作自演の交響的コンサートでアイスランドのレイキャビクを訪問。
	11月	(48歳)	エレヴァンとバクーで自作自演の交響的コンサート。(ソリストD.F.オイストラフ，A.L.カフラン，フィルハーモニー交響楽団)
1952年	5月	(48歳)	モスクワの全ソの家コロムヌイホールで自作自演の交響的コンサート（ソリストL.B.コーガン，全ソラジオ大交響楽団)
	8月～10月	(49歳)	ブルガリア訪問。自作自演の交響的コンサートでデビュー。
1953年	5月	(49歳)	レニングラードで自作自演の交響的コンサート。

	12月	(50歳)	リガに演奏旅行。(ソリスト D.F. オイストラフ，L.N. オボーリン，ラトヴィア ラジオオーケストラ)
1954年	6月	(51歳)	ターリンに演奏旅行。(ソリスト L.B. コーガン，エストラードラジオオーケストラ)
1955年	4月	(51歳)	フィンランドの諸都市に演奏旅行。Y. シベリウスと出会う。
	11月～12月	(52歳)	イギリス訪問。ロンドンのリバプール，マンチェスターで自作自演の交響的コンサート。(ソリストM. リマ，D.F. オイストラフ) 作曲家ブリッソ，A. マリコリムと出会う。
			モスクワのボリショイ劇場で《歓喜の讃歌》初演。(指揮 M.A. タヴァリジャン，アルメニア オペラバレエ劇場オーケストラ)
	12月27日		レニングラード オペラバレエ劇場で，バレエ《スパルタクス》初演。(バレエマスター L.V. ヤコブソン)
1957年	5月22日	(53歳)	モスクワのボリショイ劇場でバレエ《ガヤネ》新改訂版初演。(バレエマスター V.I. ヴァイノネン)
	8月～10月	(54歳)	ラテンアメリカ諸国へ演奏旅行。
1958年	3月11日	(54歳)	モスクワのボリショイ劇場でバレエ《スパルタクス》初演。(バレエマスター I.A. モイセーエフ)
	5月～6月		作曲家 D.B. カバレフスキーとともに，西シベリア，クズバッスー，アルタイに演奏旅行。
			全ソ最高議員に選出される。

1959年		(56歳)	バレエ《スパルタクス》の音楽に対して，レーニン賞を受ける。
1960年	1月～4日	(56歳)	ラテンアメリカ諸国を自作自演コンサートで演奏旅行。ハバナでヘミングウェイと出会う。
			パリでD. ミヨー, A. ジョリヴェ，F. プーランク，M. ロングと会う。
	5月～6月		アルメニア演奏旅行.（ソリスト S. N. クヌシェヴィツキー，A. A. ヴァルタニヤン，アルメニア フィルハーモニーオーケストラ）
	12月	(57歳)	ベルギーで自作自演の交響作品コンサート。
1961年	2月～3月	(57歳)	東ドイツとオーストリアに演奏旅行。
	4月15日		エレヴァンでバレエ《スパルタクス》初演。
	5月		エジプトとリビアで自作自演の交響作品コンサート。エジプトで第1等科学芸術民族勲章を受ける。
	11月	(58歳)	レニングラードで自作自演コンサート。（ソリスト D. B. シャフラン，Z. テルーメルゲリヤン）
			モスクワで《ピアノソナタ》初演。（演奏 A. カザエフ 作曲家センターの家ホール）
1962年	4月4日	(58歳)	モスクワのボリショイ劇場でバレエ《スパルタクス》の新版上演。（バレエマスター L. V, ヤコブソン）
	9月	(59歳)	ポーランドで自作自演の交響作品コンサート。
	10月7日		ヤロスラヴリで《ヴァイオリンのためのコンチェルト・ラプソディー》初

			演。（指揮 I.B. グースマン，ソリスト L.B. コーガン，ヤロスラヴリ フィルハーモニーオーケストラ）
1963年	2～3月	（59歳）	日本諸都市を演奏旅行。（ソリスト L.N. オボーリン，L.B. コーガン）日本の作曲家山田耕筰と会う。
	10月～12月	（60歳）	モスクワで一連の祝賀コンサート。（生誕60周年を祝して）同様にレニングラード，キエフ，ハリコフ，バクー，エレヴァン，レニナカン，キロヴァカン，トビリシで自作自演の交響作品コンサート。
1964年	1月4日	（60歳）	ゴーリキー市で《チェロのためのコンチェルト・ラプソディー》初演。（指揮 I.B. グースマン，ゴーリキー フィルーモニー オーケストラ）
	4月～5月		バレエ《スパルタクス》の上演に関連してヴィルニュスに滞在。
	8月	（61歳）	オランダに演奏旅行。
	9月		Z. エネスコ記念ピアニストコンクール審査委員として出席のため，ブカレスト訪問。
	11月		東ドイツに演奏旅行。
1965年	5月	（61歳）	ヴァイオリンコンクール審査委員として出席のため，スイス訪問。 C. チャップリンと会う。
	8月	（62歳）	ギリシアの諸都市を演奏旅行。（ソリスト Y.V. フリエル，V.A. ピカイゼン，N.N. シャホーフスカヤ）6万人の聴衆を収容した。
1967年		（64歳）	ボルガ河沿いの諸都市を演奏旅行。

1968年		(64歳)	アメリカ諸都市を演奏旅行。(ソリスト K. A. ゲオルギアン)
	4月9日		Y. N. グリゴローヴィチの新総合芸術演出により，モスクワボリショイ劇場で，バレエ《スパルタクス》初演。
	12月16日	(65歳)	《ピアノのためのコンチェルト・ラプソディー》初演。(指揮 G. N. ロジェストヴェンスキー，ソリスト N. A. ペトロフ，全ソ ラジオ テレビ大交響楽団 モスクワ音楽院大ホール)
1969年		(66歳)	ユーゴスラビア訪問，ユーゴスラビアの作曲家たちと会う。
	11月		ブルガリアで自作自演の交響作品コンサート。(ソリスト K. A. ゲオルギアン)
1970年		(67歳)	東ドイツ，西ベルリン訪問，自作自演の交響作品コンサートでデビュー。
1971年		(67歳)	ノルウェーに演奏旅行。
	3月		ターリンで自作自演コンサート。
	10月～11月	(68歳)	オランダ，西ドイツの諸都市を演奏旅行。(ソリスト K. A. ゲオルギアン，V. A. ピカイゼン)
	12月		A. A. スペンディアロフ生誕百年祭の祝賀会に出席。ボリショイ劇場における A. A. スペンディアロフの生誕祭で講演。
1972年	3月	(68歳)	エレヴァンで自作自演コンサート。(ソリスト K. A. ゲオルギアン，N. A. ペトロフ)
	4月		ミンスクへ演奏旅行。

			アメリカ訪問。
			国際会議「ギリシアの愛国者擁護のために」に出席。
			チェコスロバキア訪問，ブラチスラバで自作自演の交響作品コンサート。
1973年	10月	(70歳)	モスクワで自作自演祝賀コンサート。(生誕70周年を祝して)
	12月		トビリシ，バクー，エレヴァン，レニナカン，キロヴァカンで自作自演のコンサート。
1974年		(71歳)	西ベルリンでコンサート。
			70歳を記念してパリで祝賀会，フランス共和国の勲章を受ける。
	10月		モスクワ，レニングラード，エレヴァン，タシケント，トビリシ，リガ，
			バクーの作曲家，音楽評論家が参加して，ハチャトゥリヤンにささげるアルメニア共和国科学アカデミー社会活動支部の学術会議が開かれた。
1675年	5月	(71歳)	トビリシでの《ザ カフカーズ 春の音楽友好祭》に出席。
	11月	(72歳)	ソビエト文化の日に関連して，ソビエト音楽家代表団の構成員としてハンガリー訪問。ブダペストで《チェロソナタ》初演。
1977年		(74歳)	イギリス演奏旅行。
1978年	5月1日	(74歳)	アラム・イリイッチ・ハチャトゥリヤン死す。
	5月6日		エレヴァンに埋葬。

参考にした文献

文中に左記の文献から引用した部分がある。本来なら、文中に明記すべきであるが、引用のしかたが部分的であったり、私の記憶をまじえて自由に変形しているので、ここに一括して参考にした文献をあげておく。

（著者名、書名、出版社、出版年、出版地の順）

・**Арам Хачатурян; Арам Хачатурян Страницы жизни и творчества Из бесед с Г. М. Шнеерсоном**, 《СОВЕТСКИЙ КОМПОЗИТОР》, 1982, МОСКВА
（アラム・ハチャトゥリヤン、アラム・ハチャトゥリヤン生活と創造のページ　G・M・シュネールソンとの対話《ソビエト作曲家》、一九八一年、モスクワ）

・Давид Михайлович Персон; Арам Хачатурян,《СОВЕТСКИЙ КОМПОЗИТОР》, 1963, МОСКВА
（ダヴィード・ミハイロヴィチ・ペルソン、アラム・ハチャトゥリヤン《ソビエト作曲家》一九六三年、モスクワ）

・ヴィクトル・ユゼフォヴィチ、寺原伸夫・小林久枝共訳、アラム・ハチャトゥリヤン、音楽之友社、（近刊）

・写真転載 Георгий Григрьевич Тигранов; Арам Хачатурян Очерк жизни и творчества,《Музыка》, 1978, Ленинград
（ゲオルギー・グリゴリエヴィチ・チグラーノフ、アラム・ハチャトゥリヤン生活と創造のルポルタージュ《ムジカ》、一九七八年、レニングラード）

あとがき

五年前、ハチャトゥリヤンの葬儀でアルメニアに飛んだとき、エレヴァン・オペラバレエ劇場の広場を埋めつくした別れを惜しむ市民の姿を目のあたりにしながら、恩師ハチャトゥリヤンの軌跡を本にまとめようと心に決めた。

はじめは伝記を考えたが、私の出会いは師の人生の最後の十五年に過ぎないから、翻訳に頼らざるを得ない。すでに十冊近くもソビエトで出版されているハチャトゥリヤンの本を、あれこれ拾い読みしてみたが、専門的すぎたり、簡略にすぎたり、なかなか思うようなものが見当たらない。毎年、今年こそはと思いながら、またたく間に五年という歳月が過ぎてしまった。

私はモスクワ音楽院のレッスンやハチャトゥリヤン宅での直接のふれあいを通して、私が見きし感じたことを書いた方がその人がらと音楽をいきいきと伝えることができるのではないかと思うようになった。そのうえ、ちょうど今年はハチャトゥリヤンの生誕八十年である。秋にはアルメニアにハチャトゥリヤン記念館も開設される。それまでに書きあげて、できたての本をみやげに出席したいと思いたってまとめたのが、この本である。

二章ではモスクワ音楽院留学記という形をとった。レッスンを通してハチャトゥリヤンを描きながら、同時に、まだ知られていないモスクワ音楽院や、モスクワの音楽事情も、この際お伝えしたいと思ったからである。しかし、この本の主要なテーマはハチャトゥリヤンの人と音楽を語ることであり、それを私の体験を通すことで、より身近に、リアルに感じとっていただけたら幸いだと願っているが、その目的が果たせたかどうかは、読者の審判を待つほかはない。

推薦の言葉をよせていただいた作曲家の芥川也寸志さん、チェリストの井上頼豊さん、ヴァイオリニストの佐藤陽子さんに心から感謝したい。芥川さんは戦後まもなく、日本の音楽家としては初めて訪ソし、ハチャトゥリヤンにも会っていて、早く本を書くように励ましてくださった。文中への引用を快くお引き受けいただいたヴァイオリニストの黒沼ユリ子さん、朝日新聞大阪本社の記者長井康平さんにも心からお礼を申し上げたい。また、一貫して実務的に協力いただいた東京音楽社の浜田郁子さん、本文に目を通していただいた翻訳者の小林久枝さん、レイアウトを引き受けてくださった私の古くからの友人であり詩人の門倉訣さん、そして私を励ましながら直接原稿の清書を手伝ってくれた教え子の中島克磨君、山田斉君、娘の麻里にありがとうのあいさつを送る。

最後に、すばらしい本づくりに力を貸してくだった東京音楽社の内藤克洋社長に心からの感謝の念を表明して、あとがきにかえたい。

一九八三・七・一五　渋谷の草庵にて

寺原伸夫

この書によせて

中島克磨（作曲家）

日本人なら誰もが知っている舞曲「剣の舞」、スケート競技で爆発的なヒットとなった「仮面舞踏会」、これらの曲の作者であるハチャトゥリヤンに師事した日本人が〝一人だけいた〟という事実は、日本の音楽史を考える上でとても重要なことだと思っています。

この本執筆当時の寺原氏は、〈モスクワ作曲家同盟〉との太いパイプを活用して、日ソの〝架け橋役〟を担っていました。とりわけ〈日ソ音楽家協会（現：日ロ音楽家協会）〉は、彼の尽力なしには設立し得なかったと言えますし、〈日ソ協会（現：日本ユーラシア協会）〉においても理事として、音楽家の招聘はじめ大きな足跡を残しました。また、ハチャトゥリヤンの伝記の翻訳、ショスタコーヴィチやハチャトゥリヤンのオーケストラ作品などの分析や解説など、内容の濃い執筆活動もしています。そして、ソ連式の英才教育を私たち弟子に施し、ロシアの芸術のなんたるかを伝授することにも情熱が注がれていました。

日本の音楽界では、欧米の作曲が重視され、いかに革新的なことをやっているか？　いかに主知主義ぶりを発揮しているか？　急進的な音響実験をしているか？　そういうところに焦点が当てられていたため、とりわけ社会主義国の作曲家を軽視する傾向が強かったのです。

しかしロシアは、グリンカ、チャイコフスキー、リムスキー＝コルサコフ、ムソルグスキー、ボロディン、スクリャービン、ストラヴィンスキー、プロコフィエフ、ラフマニノフ、ショスタコーヴィチ、ハチャトゥリヤン、カバレフスキー、シチェドリン……など世界中で愛されている大作曲家たちを多く輩出した音楽大国で、革新性においても、十九世紀末にはすでに〝ロシア・アヴァンギャルド〟の芸術家たちが存在しているのです。その奥深さと多様性は驚くほどのもので、この国出身の作曲家は〝革新的か否か〟ということより、〝高い音楽性〟や〝自分の語り口〟というものを持っていることが大切なのです。寺原氏は、こういった日本とソヴィエト・ロシアの〝ありようの違い〟とも戦って生きた人と言えるでしょう。

二十一世紀の今、淘汰された現代作品も多くある中で、ハチャトゥリヤンの音楽は依然として光を放っています。真の意味で普遍性があるからです。そのハチャトゥリヤン氏に認められた作曲家 寺原伸夫。その彼の生々しい証言が詰まっているこの書は、資料としても極めて貴重なものと言えるのではないでしょうか。親しみやすい文体ということもあるので、何度でも味わってほしいと願っています。

最後に、東京音楽社の内藤克洋社長の高邁な意思を受け継いでこの度の復刻を企画して下さった株式会社ハンナの井澤彩野社長に、心から感謝申し上げます。

著者――寺原 伸夫　作曲家

一九二八年三月一日宮崎県生まれ。東臼杵郡南郷村立水清谷小学校、宮崎中学校、清水高等商船学校、宮崎農林専門学校卒業後、宮崎県の公立中学校教諭として音楽教育活動に専念。一九五四年上京し、新宿区立落合第二中学校の教職のかたわら作曲を独学し、「手のひらのうた」、「鳩をとばせにいくんです」（教育芸術社・中学生の音楽一年生所収）、合唱組曲「日本の夜明け」などを作曲。一九六四年からモスクワ音楽院に留学、アラム・ハチャトゥリヤンに師事。一九七一年同学院作曲科卒業、芸術修士。一九七二年和光高等学校講師。一九七四年～七七年日本福祉大学助教授。文化団体において、日本音楽舞踊会議事務局長・作曲部会長、日ソ協会理事、日本・ロシア音楽家協会運営委員、反核日本の音楽家たち八三年度委員、日本フィル音楽顧問団委員などを歴任。日本作曲家協議会会員（国際部担当）、日本現代音楽協会会員、日本童謡協会会員、詩と音楽の会会員。一九九八年三月三〇日、肝臓癌のため東京都内の病院にて逝去。

主要作品　（　）内の数字は出版年。
モノ・オペラ「ヒロシマ」（一九七〇）、チェロ協奏曲（一九七一）、「ふるさとの詩」（一九八八）「日本の素描」（一九七九）など多くの作品がモスクワ国立出版社〈ソヴィエツキー・コンポジートル〉から出版されている。その他カンタータ「機関車」（一九七三）、カンタータ「マンモス狩りは夜明けにはじまる」（一九七五）、オペラ・ファンタジア「浦島太郎」（一九七九）、弦楽のための組曲「ふるさとの詩」（一九八二　日本フィルがレコード化）などがある。合唱作品は、牧水のうた（一九八八）、命の賛歌（一九八八）が各々全音楽譜出版社から上梓された。また、子どものあそびうた曲集として「ぽこぺこどん」（全国社会福祉協議会出版部）、「あくびワニさん」「四季のあそびうた」春夏秋冬四冊（以上秋川書房）。室内楽では、ダニール・シャフラン版「チェロとピアノのためのアダージョ」、ザハール・ブロン版「ヴァイオリンとピアノのためのロマンス」が日本作曲家協議会や音楽之友社から出版されている。翻訳書として、ユゼフォーヴィチ著『ハチャトゥリヤン』（音楽之友社～小林久枝、阿蘇淳と共訳～）がある。

復刻版 剣の舞 ハチャトゥリヤン

——師の追憶と足跡——

令和二年七月三日 発行

著者 寺原 伸夫 ©1983

発行人 井澤 彩野

発行所 株式会社ハンナ
東京都目黒区中目黒三－六－四－二階
☎（〇三）五七二一－五二二二

印刷・製本 （株）新灯印刷